完全征服

TOPIK I
新韓檢初級
模擬試題＋完全解析

師大 Daily 韓語
李炫周　著

繽紛外語編輯小組　總策劃

作者序

對我而言，「教學」是一種天賦同時也是天職。能和學生面對面接觸教學，帶給我很大的樂趣及挑戰。其中，能教導自己的母語真的是一種幸運與祝福。尤其當學生來問我（正好因為我的母語是韓語的關係）從未思考過的問題時，簡直就如同探索到新世界般感到興奮且熱血沸騰。

本書完整地反映出長期在現場教學所得的知識及經驗。當初計劃要出書時，我的想法非常簡單，就是要寫一本針對單一領域的書，但更希望能從全方位協助韓語學習者，最後才決定寫韓語能力檢定相關的書。因為已有多年教學經驗，每逢韓語檢定考時期，有許多學生會前來詢問該如何準備檢定考試。其實準備考試的最佳方法就是練習做考古題，且練習愈多愈好，但在練習寫考古題的過程中也會遇到一些問題：

首先，解考古題時，雖然知道答案，但有時會不了解為何那是答案。就像如果無法正確翻譯出文章，就不能正確地了解考題；或者即使大致了解文章內容，但卻遇到文法難懂的問題。想要解決這些問題不容易，有時是因為考題難度的確有點高，但最主要還是由於無法翻譯出文章或句子的意思，才導致上述種種問題的發生。

此外，韓語檢定考試改新制以後，至目前為止可以參考的新制考古題只有四屆，比起過去少了許多，再加上韓國國立國際教育院（考試的主辦單位）決定於2015年第38回考試開始，一年只公開一回的歷屆考題，因此學生要準備新制的檢定考試、練習新制的考古題，就變得更加不容易。即使是參考韓國出版的應試準備書籍或題庫，但由於沒有中文解析，學生終究還是會遇到相同的問題。畢竟沒有中文解析，語彙、句子內容或正確的文法觀念等，在各方面都會覺得理解有限。身為一名韓語教師，看到許多學生面臨這些困難，決定彙整過去教書時常提到的重點、集結與班上同學們一起解考題的經驗，自己寫一本模擬試題題庫，希望對學生有所幫助。

現在讓我對本書收錄的共三回考題稍做說明：首先以難度而言，第一回考題較簡單，可以算是暖身篇；第二回考題難度相對較高，由於韓檢考題有時會稍微提高難度，因此第二回考題特別針對此情況撰寫，考題使用的語彙也比較深。做起來雖然可能會有點辛苦，但一旦突破第二回的難關，第三回一定能順利搞定，因為第三回的難度為一般水準。讀者若練習完本書共三回的模擬試題，相信一定可以順利準備新制初級韓檢。

有關本書考題使用的語彙與文法：文法完全以檢定考常考的文法為主，因為檢定考常出現的文法有一定的範圍；至於語彙，有些考題使用的語彙難度較高，尤其第二回的語彙可能會偏難，這也是第二回的考題難度比較高的原因。韓語檢定考出現的語彙偶爾會超出韓語教科書所介紹的難度範圍。但是必須了解，無論難度如何，隨時都可能遇到不懂的語彙。我希望考生們不要被不懂的語彙困住，而是要了解整體文章或整個對話的內容及重點想法。

身為韓國人，對所有韓語學習者致上的謝意，真心感謝每一位對韓語有興趣的人以及想要提升韓語能力的人。只要有哪一位需要我的幫助，我希望透過現場教學、FB上的互動粉絲專頁以及書籍等各種管道，盡全力來幫助與支持大家。

滿心感謝上帝賜下如此美好的機會，使得我能擴展途徑，更有效地幫助韓語學習者。也感謝家人給我無限的支持與鼓勵、國立師範大學進修推廣學院提供我教學的機會以及包容，以及特別前來幫忙錄音的學弟白亨烈先生，藉此亦想要表示謝意。也感謝我深愛的學生們一直以來的肯定與支持，讓我願意繼續努力，你們每一位都是我提升自己最大的動力。最後感謝瑞蘭出版社這段時間的協助與支持。

이현주
李炫周

戰勝新韓檢，掌握韓語關鍵能力

繽紛外語編輯小組 整理

韓國語文能力測驗（한국어능력시험，Test of Proficiency in Korean,TOPIK）是由「韓國國立國際教育院」在韓國及世界各地為韓語學習者測試其韓語能力而舉辦的測驗。自1997年起開辦，中間幾經變革，於2011年由韓國教育部國立國際教育院接手辦理，歷經實行長達三年多的初、中、高級三種考試分類後，於2014年7月20日（第35回測驗開始）考試體制再次改革，新韓檢正式上路。新的考試分類由原來的三種改為兩種，分別是TOPIK I（初級）及TOPIK II（中、高級）。以下資料整理自韓國語文能力測驗-TOPIK臺灣官方網站（http://www.topik.com.tw/），期盼讀者看完此篇介紹，對新韓檢有更進一步的認識，勇敢跨出應試TOPIK I的第一步。

TOPIK新韓檢考試介紹

❖ 考試目的

- 為母語非韓國語之韓國僑民、外國人提供學習方向；並祈達到普及韓語之效
- 測驗和評價韓國語使用能力，並以此為留學韓國或就業的依據

❖ 考試實施對象

- 母語非韓國語之韓國僑民、外國人（無年齡限制）
- 計劃到韓國留學之人士
- 欲就業於韓國企業或公共機構之人士
- 就讀／畢業於海外學校之駐外韓國公民

❖ 考試成績效期

・本測驗成績之有效期限為2年（自結果發佈日起計）

※ 除作弊、缺考人員外，所有考生均獲派發成績證明書（成績單）。

❖ 台灣區考試主辦機關

・主管單位：韓國國立國際教育院、駐台北韓國代表部

・承辦單位：自2016年秋季起，由財團法人語言訓練測驗中心（LTTC）獨家辦理

TOPIK新韓檢考試內容

・測驗等級：TOPIK I、TOPIK II

・依據測驗成績又可分為6級（1～6級）

・TOPIK I 為舊制初級；TOPIK II為舊制中、高級

分類	TOPIK I		TOPIK II			
	1級	2級	3級	4級	5級	6級
等級判定	80分以上	140分以上	120分以上	150分以上	190分以上	230分以上
難易度	易 → 難					

❖ 考試題型及配分

TOPIK I

- 選擇題：為4選1（無作文題）

考試等級	節數	領域（時間）	題型	題數	配分	總分
TOPIK I（1～2級）	只有一節（100分鐘）	聽力（40分鐘）	選擇題	30	100	200
		閱讀（60分鐘）	選擇題	40	100	

TOPIK II

- 選擇題：為4選1
- 作文題：造句2題、寫作2題（200～300字的說明文1篇，600～700字論說文1篇）

考試等級	節數	領域（時間）	題型	題數	配分	總分
TOPIK II（3～6級）	第一節（110分鐘）	聽力（60分鐘）	選擇題	50	100	300
		寫作（50分鐘）	作文題	4	100	
	第二節（70分鐘）	閱讀（70分鐘）	選擇題	50	100	

❖ 考試出題基本方針

- 足以測驗考生現代韓語運用能力之試題內容
- 切合各領域（聽力、閱讀、寫作）特性之評分目標與評分內容
- 在各領域及內容上均衡選題
- 促進考生理解韓國傳統與現代之社會、文化
- 廣泛參考韓國國內外韓語教育機構之韓語課程
- 避免偏重或不利於特定語言圈考生之試題
- 避免與過去試題重覆之內容

❖ 各等級程度標準

等級		程度標準
TOPIK I	1級	・可以完成「自我介紹、購物、點菜」等日常生活上必需的基礎會話，並且可以理解和表達「個人、家庭、興趣、天氣」等一般私人話題。 ・掌握約800個常用單字，認識基本語法並能造出簡單句子。 ・能製造和理解簡單的生活文章和實用文章。
	2級	・能在「打電話、求助」等日常生活機能與利用「郵局、銀行」等公共設施上使用韓語。 ・掌握約1,500～2,000個單字，能理解個人熟知的話題，並以段落表達。 ・可區分使用正式或非正式場合的語言。
TOPIK II	3級	・在日常生活溝通上沒有困難，並具有能使用各種公共設施及進行社交活動之基礎語言能力。 ・明白自己熟識的話題和社會上熱門的話題，並以段落表達出來。 ・能區分及使用口語和書面語。
	4級	・能使用公共設施，並進行社交活動。還能執行某部分的一般職場業務。 ・理解電視新聞和報紙中較淺顯的內容，並能流暢表達一般社會性和抽象的話題。 ・能理解常用的慣用語和韓國代表文化，並藉此了解和表達社會和文化方面的內容。
	5級	・具備在專業領域上進行研究或擔任業務的語言能力。 ・可理解並談論不熟識的主題如政治、經濟、社會、文化等。 ・正確使用正式、非正式和口語、書面語。
	6級	・具備正確和流暢地在專業領域上進行研究或擔任業務的語言能力。 ・可理解並談論不熟悉的主題如政治、經濟、社會、文化等。 ・雖未能達到母語使用者的水平，但在執行任務和表達能力上沒有困難。

如何使用本書

《TOPIK I新韓檢初級　模擬試題＋完全解析》依照「韓國國立國際教育院」所公布的新韓檢TOPIK I範圍內的題型與題數，百分之百模擬TOPIK I考試題型，幫助考生掌握考題趨勢，發揮實力。

測・驗・實・力

《TOPIK I新韓檢初級　模擬試題＋完全解析》共有三回模擬試題。每一回模擬試題均包含實際TOPIK I考試時測驗的兩大科目，分別為第一科：듣기（聽力）；第二科：읽기（閱讀）。每回模擬試題特色說明如下：

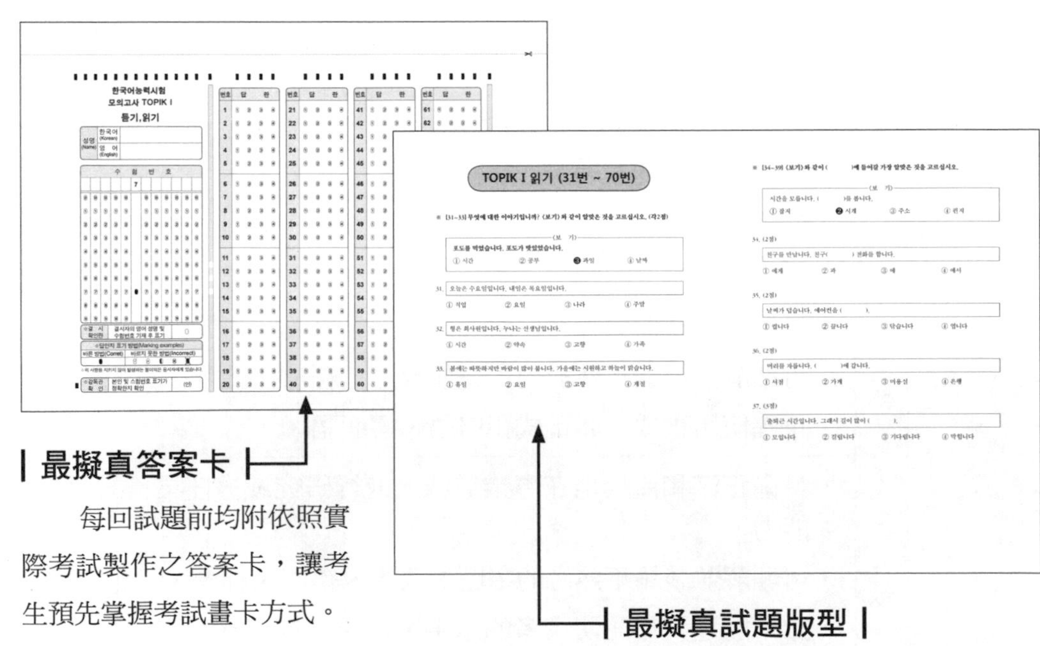

最擬真答案卡

每回試題前均附依照實際考試製作之答案卡，讓考生預先掌握考試畫卡方式。

最擬真試題版型

每回試題均完全模擬實際考試之試題本版型、考試題型、考試題數，幫助考生提早熟悉考試方式。

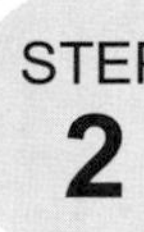

厚・植・實・力

在練習完《TOPIK I新韓檢初級　模擬試題＋完全解析》各回試題後，每回試題後均附有仿照實際官方考試製作的解答表、中文翻譯、最專業的解析以及解題之關鍵語彙及文法，讓您不需要查字典或句型文法書，便能迅速掌握解題重點。

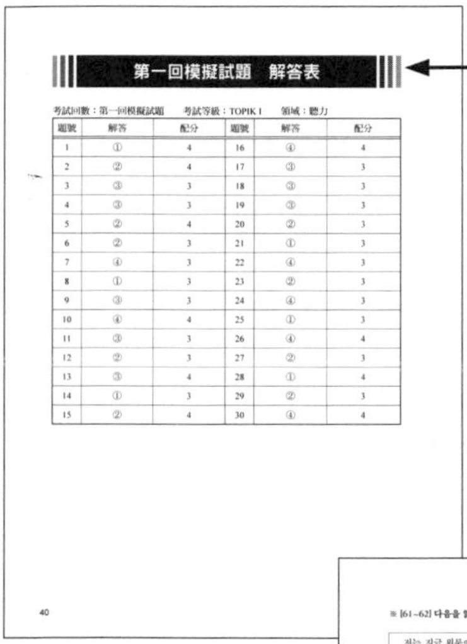

第一回模擬試題　解答表

考試回數：第一回模擬試題　考試等級：TOPIK I　領域：聽力

題號	解答	配分	題號	解答	配分
1	①	4	16	④	4
2	②	4	17	③	3
3	③	3	18	③	3
4	③	3	19	③	3
5	②	4	20	②	3
6	②	3	21	①	3
7	④	3	22	④	3
8	①	3	23	②	3
9	③	3	24	④	3
10	④	4	25	①	3
11	③	3	26	④	4
12	②	3	27	②	3
13	③	4	28	①	4
14	①	3	29	②	3
15	②	4	30	④	3

40

最擬真解答表

每回試題均附有依照官方考試製作之解答表，每題配分一目了然，方便考生每回測驗後之分數計算。

最完整中文翻譯

每回完全解析裡的每道試題，均有最完整的中文翻譯，讓考生解題無障礙！

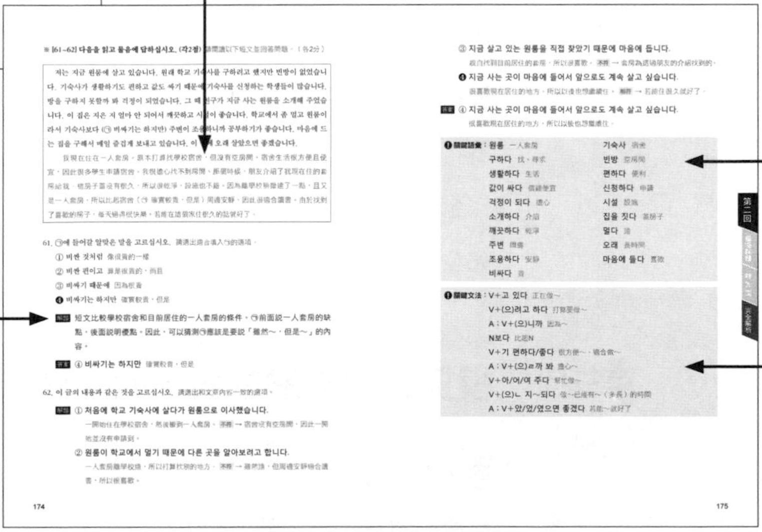

最專業完全解析

每回完全解析裡的每道試題，均有最專業詳盡的完全解析，面面俱到的說明、精闢扼要的提醒，解題變得好簡單！

解題關鍵語彙及文法

每回完全解析裡的每道試題，均有該題之解題關鍵單字及文法，幫考生抓好重點，統整最清晰！

目 錄

第一回

模擬試題＋解答表＋完全解析

한국어능력시험
모의고사 TOPIK I
듣기,읽기

성명 (Name)	한국어 (Korean)	
	영 어 (English)	

수					험	번					호
					7						
0	0	0	0	0		0	0	0	0	0	0
1	1	1	1	1		1	1	1	1	1	1
2	2	2	2	2		2	2	2	2	2	2
3	3	3	3	3		3	3	3	3	3	3
4	4	4	4	4		4	4	4	4	4	4
5	5	5	5	5		5	5	5	5	5	5
6	6	6	6	6		6	6	6	6	6	6
7	7	7	7	7	●	7	7	7	7	7	7
8	8	8	8	8		8	8	8	8	8	8
9	9	9	9	9		9	9	9	9	9	9

※결 시 확인란	결시자의 영어 성명 및 수험번호 기재 후 표기	○

※답안지 표기 방법(Marking examples)	
바른 방법(Corret)	바르지 못한 방법(Incorrect)
●	⊘ ⊙ ◐ ⊗ ✗

※위 사항을 지키지 않아 발생하는 불이익은 응시자에게 있습니다.

※감독관 확 인	본인 및 수험번호 표기가 정확한지 확인	(인)

번호	답			란
1	①	②	③	④
2	①	②	③	④
3	①	②	③	④
4	①	②	③	④
5	①	②	③	④
6	①	②	③	④
7	①	②	③	④
8	①	②	③	④
9	①	②	③	④
10	①	②	③	④
11	①	②	③	④
12	①	②	③	④
13	①	②	③	④
14	①	②	③	④
15	①	②	③	④
16	①	②	③	④
17	①	②	③	④
18	①	②	③	④
19	①	②	③	④
20	①	②	③	④

번호	답			란
21	①	②	③	④
22	①	②	③	④
23	①	②	③	④
24	①	②	③	④
25	①	②	③	④
26	①	②	③	④
27	①	②	③	④
28	①	②	③	④
29	①	②	③	④
30	①	②	③	④
31	①	②	③	④
32	①	②	③	④
33	①	②	③	④
34	①	②	③	④
35	①	②	③	④
36	①	②	③	④
37	①	②	③	④
38	①	②	③	④
39	①	②	③	④
40	①	②	③	④

번호	답			란
41	①	②	③	④
42	①	②	③	④
43	①	②	③	④
44	①	②	③	④
45	①	②	③	④
46	①	②	③	④
47	①	②	③	④
48	①	②	③	④
49	①	②	③	④
50	①	②	③	④
51	①	②	③	④
52	①	②	③	④
53	①	②	③	④
54	①	②	③	④
55	①	②	③	④
56	①	②	③	④
57	①	②	③	④
58	①	②	③	④
59	①	②	③	④
60	①	②	③	④

번호	답			란
61	①	②	③	④
62	①	②	③	④
63	①	②	③	④
64	①	②	③	④
65	①	②	③	④
66	①	②	③	④
67	①	②	③	④
68	①	②	③	④
69	①	②	③	④
70	①	②	③	④

TOPIK I 듣기 (1번 ~ 30번)

第一回 模擬試題 解答表 完全解析

※ [1~4] **다음을 듣고 〈보기〉와 같이 물음에 맞는 대답을 고르십시오.** MP3 I 01

〈보 기〉

가 : **운동을 해요?**

나 : ____________________

❶ 네, 운동을 해요.　　② 아니요, 운동이에요.

③ 네, 운동이 아니에요.　　④ 아니요, 운동을 좋아해요.

1. (4점) MP3 I 02

① 네, 병원에 가요.　　② 아니요, 병원에 가요.

③ 네, 병원에 안 가요.　　④ 아니요, 병원이 아니에요.

2. (4점) MP3 I 03

① 네, 학생이에요.　　② 아니요, 학생이 없어요.

③ 네, 학생이 없어요.　　④ 아니요, 학생이 아니에요.

3. (3점) MP3 I 04

① 내일 식사하려고 해요.　　② 집에서 식사하려고 해요.

③ 동생하고 식사하려고 해요.　　④ 한국 음식을 먹으려고 해요.

4. (3점) MP3 I 05

① 지난주에 갔어요.　　② 좀 바빠요.

③ 아주 재미있었어요.　　④ 한국 사람이에요.

※ [5~6] **다음을 듣고 〈보기〉와 같이 이어지는 말을 고르십시오.** MP3 | 06

〈보 기〉

가 : **늦어서 미안해요.**

나 : ______________________

① 고마워요. ❷ 아니에요.

③ 죄송해요. ④ 부탁해요.

5. (4점) MP3 | 07

① 아니요, 찾았어요. ② 네, 잠시만 기다리세요.

③ 아니요, 색깔이 달라요. ④ 네, 다른 색깔도 없어요.

6. (3점) MP3 | 08

① 네, 안녕하세요. ② 네, 감사합니다.

③ 네, 맞습니다. ④ 네, 도와 드릴까요?

※ [7~10] **여기는 어디입니까? 〈보기〉와 같이 알맞은 것을 고르십시오.** MP3 | 09

〈보 기〉

가 : **며칠 동안 주무실 거예요?**

나 : **11월 5일부터 7일까지요.**

① 공원 ❷ 호텔 ③ 도서관 ④ 기차역

7. (3점) MP3 | 10

① 회사 ② 은행 ③ 커피숍 ④ 식당

8. (3점) MP3 | 11

① 미술관 ② 백화점 ③ 편의점 ④ 극장

9. (3점) MP3 I 12

① 우체국　② 서점　③ 교실　④ 영화관

10. (4점) MP3 I 13

① 도서관　② 시장　③ 미용실　④ 약국

※ [11~14] **다음은 무엇에 대해 말하고 있습니까? 〈보기〉와 같이 알맞은 것을 고르십시오.** MP3 I 14

〈보　기〉

가 : 점심 드셨어요?

나 : 네, 김밥 먹었어요.

❶ 식사　② 계획　③ 시간　④ 건강

11. (3점) MP3 I 15

① 주말　② 선물　③ 쇼핑　④ 날씨

12. (3점) MP3 I 16

① 방학　② 약속　③ 장소　④ 건강

13. (4점) MP3 I 17

① 주소　② 생일　③ 이사　④ 방문

14. (3점) MP3 I 18

① 고향　② 날짜　③ 나라　④ 동물

※ [15~16] 다음 대화를 듣고 알맞은 그림을 고르십시오. (각 4점) MP3 | 19

15. MP3 | 19

①

②

③

④

16. MP3 | 20

①

②

③

④

※ [17~21] **다음을 듣고 〈보기〉와 같이 대화 내용과 같은 것을 고르십시오.** (각 3점) MP3 | 21

〈보 기〉

남자 : 요즘 한국어를 공부해요?

여자 : 네, 한국 친구한테서 한국어를 배워요.

① 남자는 학생입니다. ② 여자는 학교에 다닙니다.

③ 남자는 한국어를 가르칩니다. ❹ 여자는 한국어를 공부합니다.

17. MP3 | 21

① 여자는 약속 시간에 늦지 않았습니다.

② 남자는 여자에게 화가 났습니다.

③ 여자는 약속 시간보다 늦게 왔습니다.

④ 남자는 차가 막혀서 30분 늦게 왔습니다.

18. MP3 | 22

① 여자는 등산을 안 좋아합니다.

② 여자는 높은 산에 올라가고 싶어 합니다.

③ 여자는 아직 한국에서 등산을 해 본 적이 없습니다.

④ 남자는 여자에게 등산복과 등산화를 선물할 겁니다.

19. MP3 | 23

① 여자는 남자한테 아버지를 소개하고 있습니다.

② 여자는 남자에게 아버지의 사진을 보여 주었습니다.

③ 남자는 여자의 아버지를 만난 적이 없습니다.

④ 남자는 여자의 가족을 만나고 있습니다.

20. MP3 | 24

① 남자는 택시로 공항에 갈 겁니다.

② 여자는 혼자 서울에 가려고 합니다.

③ 여자는 3시간 동안 비행기를 타야 합니다.

④ 남자는 지금 공항에서 일하고 있습니다.

21. MP3 | 25

① 남자는 두 달에 한 번씩 여행을 갑니다.

② 여자는 대만 음식을 먹어 보고 싶어 합니다.

③ 남자는 여행사에서 일합니다.

④ 여자는 여행하는 것을 좋아합니다.

※ [22~24] **다음을 듣고 <u>여자</u>의 중심 생각을 고르십시오.** (각 3점) MP3 | 26

22. MP3 | 26

① 걷기 운동은 시간이 많이 필요합니다.

② 건강을 위해서 걷기를 시작했습니다.

③ 시간이 있을 때마다 집 근처를 걷습니다.

④ 걷기 운동은 건강에 많은 도움을 줍니다.

23. MP3 | 27

① 여자는 사람들의 생일을 자주 잊어버립니다.

② 달력에 생일을 써 놓으면 기억하기 쉽습니다.

③ 여자는 사람들에게 새해 선물로 달력을 선물합니다.

④ 여자는 달력에 선물할 사람을 적어 놓습니다.

24. MP3 | 28

① 시험을 잘 못 봐서 걱정입니다.

② 시험 공부를 열심히 하지 않아서 걱정됩니다.

③ 공부를 열심히 했기 대문에 걱정이 없습니다.

④ 실수를 하지 않고 시험을 잘 보고 싶습니다.

※ [25~26] **다음을 듣고 물음에 답하십시오.** MP3 | 29

25. 어떤 이야기를 하고 있는지 고르십시오. (3점)

① 안내

② 인사

③ 감사

④ 부탁

26. 들은 내용과 같은 것을 고르십시오. (4점)

① 도서관에서 지금 공사를 하고 있습니다.

② 10일 동안 2층을 이용할 수 있습니다.

③ 다음 주말에는 책을 빌릴 수 있습니다.

④ 공사 기간 동안 책을 반납해도 됩니다.

※ [27~28] **다음을 듣고 물음에 답하십시오.** MP3 | 30

27. 두 사람이 무엇에 대해 이야기하고 있는지 고르십시오. (3점)

① 일에 대한 흥미

② 요즘 다니고 있는 회사

③ 실수가 많은 이유

④ 취직하고 싶은 회사

28. 들은 내용과 같은 것을 고르십시오. (4점)

① 여자는 한 달 전에 회사에 취직했습니다.

② 여자는 실수를 별로 안 해서 동료들이 좋아합니다.

③ 남자는 일을 재미없어합니다.

④ 여자는 들어가고 싶지 않은 회사에 취직했습니다.

※ [29~30] **다음을 듣고 물음에 답하십시오.** MP3 | 31

29. 여자는 왜 남자에게 경복궁을 소개받았습니까? (3점)

① 삼계탕 식당을 알아 보려고

② 부모님과 함께 관광하려고

③ 한복 입기 체험을 하고 싶어서

④ 옛날에 가 본 적이 없어서

30. 들은 내용과 같은 것을 고르십시오. (4점)

① 여자의 부모님이 한국에 놀러 오셨습니다.

② 여자는 남자에게 경복궁을 추천했습니다.

③ 경복궁에 맛있는 삼계탕 식당이 있습니다.

④ 경복궁에 가면 한복을 입어볼 수 있습니다.

TOPIK I 읽기 (31번 ~ 70번)

※ [31~33] **무엇에 대한 이야기입니까? 〈보기〉와 같이 알맞은 것을 고르십시오.** (각 2점)

〈보 기〉

포도를 먹었습니다. 포도가 맛있었습니다.

① 시간 ② 공부 ❸ 과일 ④ 날짜

31. 저는 미국 사람입니다. 수현 씨는 한국 사람입니다.

① 나라 ② 이름 ③ 직업 ④ 장소

32. 토요일에는 산에 갑니다. 그리고 일요일에는 집에서 쉽니다.

① 달력 ② 약속 ③ 주말 ④ 취미

33. 저는 자주 야구를 합니다. 그리고 농구도 합니다.

① 운동 ② 요일 ③ 직업 ④ 휴일

※ [34~39] 〈보기〉와 같이 (　　　　)에 들어갈 가장 알맞은 것을 고르십시오.

〈보　기〉

시간을 모릅니다. (　　　　)를 봅니다.

① 잡지　　❷ 시계　　③ 주소　　④ 편지

34. (2점)

주말에 가족들(　　　　) 식사를 합니다.

① 에게　　② 과　　③ 에　　④ 을

35. (2점)

방학에 고향에 갔습니다. 친구들을 많이 (　　　　).

① 놀았습니다　　② 살았습니다　　③ 만났습니다　　④ 보냈습니다

36. (2점)

수영을 합니다. (　　　　)에 갑니다.

① 서점　　② 은행　　③ 산　　④ 바다

37. (3점)

머리를 (　　　　). 지금은 길이가 많이 짧아졌습니다.

① 빗었습니다　　② 잘랐습니다　　③ 길렀습니다　　④ 만졌습니다

38. (3점)

지금은 너무 바쁩니다. 그러니까 (   ) 전화를 할 겁니다.

① 자주　　② 제일　　③ 나중에　　④ 언제나

39. (2점)

경치가 아름다웠습니다. 그래서 사진을 많이 (   ).

① 봤습니다　　② 그렸습니다　　③ 받았습니다　　④ 찍었습니다

※ [40~42] **다음을 읽고 맞지 않는 것을 고르십시오.** (각 3점)

40.

어린이 뮤지컬 "크리스마스 선물"을 보러 오세요!

☆ 기간 : 12월 1일 ~ 12월 25일 (매일 저녁 7시)

☆ 장소 : 대학로 꿈나무 소극장 (혜화역 3번 출구 앞)

☆ 입장료 : 7천 원 (토,일은 8천 원)

※ 공연이 끝난 후에 어린이들에게 선물을 나눠 드립니다.

① 주말은 평일보다 표가 더 비쌉니다.

② 크리스마스 때까지 매일 공연이 있습니다.

③ 이 뮤지컬은 어른들이 보는 공연입니다.

④ 어린이들은 공연을 다 보면 선물을 받을 수 있습니다.

第一回 模擬試題 解答表 完全解析

41.

찾아 주세요!

★ 지갑을 잃어 버렸습니다.
★ 9월 16일 오후에 학생 식당에서 분실했습니다.
★ 지갑 안에 학생증과 현금 약간이 들어 있습니다.
★ 찾으신 분은 이영주(010-2345-6789)에게 전화해 주세요.

① 지갑을 잃어 버려서 찾고 있습니다.
② 지갑에 현금만 조금 있습니다.
③ 지갑을 찾으면 이영주 씨에게 연락해야 합니다.
④ 지갑을 잃어버린 곳은 학생 식당입니다.

42.

일	월	화	수	목	금	토
30 11:00 수영 교실	**31** 10:00-12:00 한국어 수업	**1** 10:00-12:00 한국어 수업	**2** 10:00-12:00 한국어 수업 12:10 린다 씨와 점심	**3** 10:00-12:00 한국어 수업 15:00 명동 극장	**4** 10:00-12:00 한국어 수업	**5**
6 11:00 수영 교실	**7** 10:00-12:00 한국어 수업 14:00 미용실	**8** 10:00-12:00 한국어 수업	**9** 10:00-12:00 한국어 수업 12:10 린다 씨와 점심	**10** 10:00-12:00 한국어 수업	**11** 10:00-12:00 한국어 수업	**12**

① 주중에는 오전에 한국어 수업이 있습니다.
② 일주일에 한 번씩 수영을 배우러 갑니다.
③ 주말에는 밖에 나가지 않습니다.
④ 수요일에는 수업이 끝난 후에 린다 씨와 점심을 먹기로 했습니다.

※ [43~45] **다음의 내용과 같은 것을 고르십시오.**

43. (3점)

오늘은 토요일이라서 늦게까지 잤습니다. 옛날에는 토요일에 출근했습니다. 하지만 이제는 토요일과 일요일이 휴일이 되었기 때문에 출근하지 않아도 됩니다.

① 주말에도 회사에 갑니다.

② 지금은 일주일에 5일만 출근하면 됩니다.

③ 오늘 늦게 잤습니다.

④ 옛날에도 토요일에 쉬었습니다.

44. (2점)

어제 은행에 가서 달러를 원으로 바꾸고 통장을 만들었습니다. 현금 카드도 만들었습니다. 신청서에 이름과 주소, 비밀 번호를 쓰고 서명을 했습니다.

① 통장을 만들려면 신청서를 써야 합니다.

② 신청서에 사는 곳을 쓰지 않아도 괜찮습니다.

③ 돈을 바꾸기 위해서 통장을 만들었습니다.

④ 통장과 현금 카드를 만들 때 도장이 꼭 필요합니다.

45. (3점)

감기에 걸렸을 때는 따뜻한 물을 많이 마시고 과일을 먹는 것이 좋습니다. 또 잠을 많이 자고 충분히 쉬어야 합니다. 여름에는 날씨가 더워도 에어컨을 오래 켜지 않는 것이 좋고 밤에는 창문을 닫고 자는 것이 빨리 낫는 방법입니다.

① 여름에 감기에 걸리면 시원한 물을 자주 마시면 됩니다.

② 여름에는 덥기 때문에 밤에 창문을 열어도 괜찮습니다.

③ 감기에 걸리면 많이 먹어야 합니다.

④ 충분히 쉬는 것이 감기에 좋습니다.

※ **[46~48] 다음을 읽고 중심 생각을 고르십시오.**

46. (3점)

제 취미는 농구입니다. 주말마다 친구들과 체육관에서 농구를 합니다. 다음 주에는 농구 경기를 보러 갈 겁니다.

① 친구들과 농구를 하면 재미있습니다.

② 주말마다 친구들과 농구를 할 것입니다.

③ 저는 농구를 좋아합니다.

④ 농구 경기를 보고 싶습니다.

47. (3점)

며칠 동안 날씨가 춥습니다. 계속 집에만 있으니까 몸이 별로 좋지 않습니다. 내일은 추워도 나가려고 합니다.

① 요즘 날씨가 춥습니다.

② 집에 있으면 몸이 좋지 않습니다.

③ 춥지만 밖에 나가고 싶습니다.

④ 나가는 것을 좋아합니다.

48. (2점)

저는 다음 주에 먼 곳으로 이사를 갑니다. 저는 이사 가는 것이 싫습니다. 친구들과 헤어져야 하기 때문입니다.

① 제 친구가 다음 주에 이사를 갑니다.

② 저는 빨리 먼 곳으로 이사 가고 싶습니다.

③ 저는 친구들과 헤어지기 싫어서 이사 가고 싶지 않습니다.

④ 저는 새로운 집으로 이사했습니다.

※ [49~50] **다음을 읽고 물음에 답하십시오.** (각 2점)

지난주에 중학교 때 친구들과 선생님을 만났습니다. 졸업한지 오래 돼서 얼굴을 (　　㉠　　) 조금 걱정됐습니다. 하지만 친구들을 만났을 때 바로 기억이 났습니다. 선생님도 옛날과 많이 달라지지 않았습니다. 너무 반가웠습니다.

49. ㉠에 들어갈 알맞은 말을 고르십시오.
① 못 알아볼까 봐　　② 못 알아보면
③ 잘 아니까　　④ 기억할 수 있어서

50. 이 글의 내용과 같은 것을 고르십시오.
① 선생님의 모습이 많이 바뀌었습니다.
② 친구들을 만났을 때 금방 알아볼 수 있었습니다.
③ 얼마 전에 졸업해서 얼굴을 기억하기 쉬웠습니다.
④ 중학교를 졸업한 후에도 친구들을 자주 만났습니다.

※ [51~52] **다음을 읽고 물음에 답하십시오.**

> 학생들이나 직장인들 중에는 아침을 먹지 않는 사람이 많습니다. 하지만 아침을 먹으면 공부나 일에 더 집중할 수 있습니다. 뇌가 깨어나서 활동하기 때문입니다. 또한, 아침을 안 먹으면 점심에 갑자기 많은 양의 음식을 먹게 됩니다. 그러면 쉽게 (　　㉠　　) 다이어트에도 도움이 되지 않습니다.

51. ㉠에 들어갈 알맞은 말을 고르십시오. (3점)

① 살이 찌지 않아서　　② 살이 쪄도

③ 살이 찌기 때문에　　④ 살이 찐 후에

52. 무엇에 대한 이야기인지 알맞은 것을 고르십시오. (2점)

① 아침을 먹어야 하는 이유

② 점심을 많이 먹는 이유

③ 아침에 뇌가 활동하는 방법

④ 다이어트에 도움이 되는 방법

※ [53~54] **다음을 읽고 물음에 답하십시오.**

> 제 누나는 예쁘고 성격도 활발해서 사람을 쉽게 사귀는 편입니다. 누나를 좋아하는 남자가 많습니다. 하지만 누나는 다 (㉠) 것 같습니다. 아무와도 사귀지 않습니다. 누나의 이상형은 외모도 성격도 직장도 전부 괜찮은 남자입니다. 누나는 아마 결혼하기 어려울 것 같습니다.

53. ㉠에 들어갈 알맞은 말을 고르십시오. (2점)

① 마음에 들지 않아서　　② 마음에 들지 않으면

③ 마음에 들지 않으니까　　④ 마음에 들지 않는

54. 이 글의 내용과 같은 것을 고르십시오. (3점)

① 누나는 조용하고 보통 혼자 있습니다.

② 누나는 여러 남자들과 사귀었습니다.

③ 누나의 이상형에 맞는 남자를 찾기 어렵습니다.

④ 누나에게 성격이 좋은 남자가 제일 중요합니다.

※ [55~56] **다음을 읽고 물음에 답하십시오.**

오늘은 제일 친한 친구의 결혼식 날이었습니다. 결혼식은 12시였습니다. (㉠) 저는 아침 일찍 친구가 있는 곳으로 갔습니다. 친구를 도와 주고 싶었기 때문입니다. 결혼식장에는 사람들이 많아서 시끄러웠습니다. 결혼식은 오래 걸리지 않았습니다. 결혼식이 끝나고 신랑 신부는 친구들과 기념 사진을 찍었습니다. 제 친구가 행복하게 살았으면 좋겠습니다.

55. ㉠에 들어갈 알맞은 말을 고르십시오. (2점)

① 그리고　② 그래서

③ 그렇지만　④ 그러니까

56. 이 글의 내용과 같은 것을 고르십시오. (3점)

① 결혼식 전에 신랑 신부와 기념 촬영이 있었습니다.

② 결혼식장은 조용한 분위기였습니다.

③ 저는 아침 일찍 신부를 만났습니다.

④ 결혼식이 오래 걸렸습니다.

※ [57~58] **다음을 순서대로 맞게 나열한 것을 고르십시오.**

57. (3점)

(가) 요즘 시험 기간이었지만 그래도 게임을 계속 했습니다.
(나) 앞으로는 게임을 하지 않아야겠습니다.
(다) 저는 컴퓨터 게임을 좋아해서 매일 게임을 합니다.
(라) 결국 공부를 많이 하지 않았기 때문에 시험을 못 봤습니다.

① (다)-(가)-(라)-(나)
② (다)-(가)-(나)-(라)
③ (가)-(라)-(다)-(나)
④ (가)-(다)-(나)-(라)

58. (2점)

(가) 그래서 아쉽지만 내일 다른 원피스로 바꾸러 가려고 합니다.
(나) 그 원피스는 조금 비쌌지만, 색깔이 정말 마음에 들었습니다.
(다) 그런데 집에 와서 입어 보니까 생각보다 너무 짧았습니다.
(라) 오늘 낮에 옷 가게에 가서 원피스를 샀습니다.

① (다)-(라)-(가)-(나)
② (라)-(나)-(다)-(가)
③ (다)-(가)-(라)-(나)
④ (라)-(다)-(나)-(가)

※ **[59~60] 다음을 읽고 물음에 답하십시오.**

지난주 일요일에 이사를 했습니다. 이사가 힘들었지만 다행히 친구들이 와서 도와줬습니다. (㉠) 무거운 짐을 옮겨 주고 이사가 끝난 후에도 밤늦게까지 남아서 정리를 해 주었습니다. (㉡) 저는 친구들이 너무 고마웠습니다. (㉢) 가끔 혼자서 모든 것을 해야 하는 것을 생각하면 외롭기도 합니다. (㉣)

59. 다음 문장이 들어갈 곳을 고르십시오. (2점)

하지만 오늘 소중한 친구들 덕분에 다시 힘이 났습니다.

① ㉠　　② ㉡　　③ ㉢　　④ ㉣

60. 이 글의 내용과 같은 것을 고르십시오. (3점)

① 무거운 짐은 혼자 옮겼습니다.

② 고마운 친구들이 있어서 기운이 났습니다.

③ 친구들은 이사가 끝나고 돌아갔습니다.

④ 이삿짐 정리가 일찍 끝났습니다.

※ [61~62] **다음을 읽고 물음에 답하십시오. (각 2점)**

남산공원은 4월부터 주말마다 '남산 산책여행' 프로그램을 시작하기로 했습니다. 바로 남산을 걸어 올라가는 프로그램인데 (㉠) 안내인이 남산의 역사와 문화에 대해서 설명해 줍니다. 또 남산의 나무, 꽃, 새에 대해서도 설명해 줄 예정입니다. 서울 시민은 누구든지 무료로 참여할 수 있습니다. 참여를 원하는 사람은 이 프로그램 홈페이지에서 온라인으로 신청하면 됩니다.

61. ㉠에 들어갈 알맞은 말을 고르십시오.

① 올라가 봐서　　② 올라가거나

③ 올라가는 동안　　④ 올라가기 때문에

62. 이 글의 내용과 같은 것을 고르십시오.

① 4월부터는 평일에도 안내인의 설명을 들을 수 있습니다.

② 이 프로그램에 참여하면 남산에 대해 많이 이해할 수 있습니다.

③ 서울에 사는 사람은 신청비가 쌉니다.

④ 이 프로그램에 참여하고 싶으면 전화로도 신청할 수 있습니다.

※ [63~64] **다음을 읽고 물음에 답하십시오.**

나만의 공간

최정성 (jungsungchoi@nabor.co.kr)

자기만의 공간을 가지고 싶지 않으십니까?
원룸이 나왔습니다.
집 앞에 공원이 있어서 전망이 좋고 공기도 좋습니다.
지하철역에서 걸어서 5분,
버스정류장에서 걸어서 3분 거리에 있습니다.
근처에 편의점과 은행이 있어서 편리합니다.
보증금 4천만 원에 월 50만 원입니다.
이메일로 연락해 주십시오.

63. 최정성 씨는 왜 이 글을 썼습니까? (2점)

① 원룸에 대해 알고 싶어서

② 원룸을 빌려 주려고

③ 원룸에 초대하려고

④ 원룸을 찾고 싶어서

64. 이 글의 내용과 같은 것을 고르십시오. (3점)

① 무료로 방을 빌려 주는 광고입니다.

② 돈을 찾으려면 멀리 나가야 합니다.

③ 교통이 편리해서 살기 좋습니다.

④ 같은 방을 쓰는 사람과 좋은 친구가 될 수 있습니다.

※ [65~66] **다음을 읽고 물음에 답하십시오.**

제 고향은 서울입니다. 서울은 한국의 수도이고 인구는 약 천만 명을 넘습니다. 한국의 정치, 경제, 문화의 중심입니다. 도시 곳곳에 각종 박물관, 도서관, 공원, 체육관이 많습니다. 관광객을 위한 호텔이나 가게들도 많습니다. 사람들이 (㉠) 여행하기 좋은 곳입니다. 서울에서는 매년 5월마다 서울문화축제가 열립니다. 시민들이 함께 즐기는 이 축제는 활기찬 서울의 모습을 전세계에 전달합니다.

65. ㉠에 들어갈 알맞은 말을 고르십시오. (2점)

① 친절하거나　　② 친절할 수 있으면

③ 친절하기는 하지만　　④ 친절하기 때문에

66. 이 글의 내용과 같은 것을 고르십시오. (3점)

① 서울을 여행할 때 방을 구하기 쉽지 않습니다.

② 시민들은 바빠서 축제에 참가할 시간이 없습니다.

③ 지금 서울에 천만 명이 안 되는 사람들이 살고 있습니다.

④ 서울문화축제에서 서울의 활동적인 모습을 볼 수 있습니다.

※ [67~68] **다음을 읽고 물음에 답하십시오. (각 3점)**

휴대전화 덕분에 생활이 편리해졌습니다. 사람들은 휴대전화로 인터넷에서 정보를 검색하거나 다른 사람과 돈을 내지 않고 대화를 합니다. 텔레비전 프로그램이나 영화도 볼 수 있고 게임도 할 수 있습니다. 휴대전화가 가지고 있는 다양한 기능들은 (㉠). 하지만 휴대전화가 항상 좋은 것만은 아닙니다. 휴대전화 중독에 걸린 사람도 많고 어린이들이 유해한 정보나 사이트를 보게 될 수도 있습니다. 휴대전화 때문에 공부에 방해를 받는 학생들도 많습니다. 휴대전화의 좋은 점과 나쁜 점을 알고 잘 활용해야겠습니다.

67. ㉠에 들어갈 알맞은 말을 고르십시오.

① 생활에 많은 도움을 줍니다.　② 생활에 어려움을 줍니다.

③ 생활을 방해합니다.　④ 생활을 복잡하게 합니다.

68. 이 글의 내용과 같은 것을 고르십시오.

① 학생들은 휴대전화가 없으면 불안해합니다.

② 휴대전화를 잘 사용하면 많은 도움을 얻을 수 있습니다.

③ 휴대전화 중독 때문에 휴대전화를 사용하지 않는 것이 좋습니다.

④ 정보를 찾을 때는 휴대전화가 불편합니다.

※ [69~70] **다음을 읽고 물음에 답하십시오. (각 3점)**

저는 전통 시장에 자주 가는 편입니다. 전통 시장에서는 신선한 재료를 살 수 있습니다. 신기한 물건들이 많아서 재미있게 구경할 수 있습니다. 물건을 사고 팔 때 (　　㉠　　) 깎는 모습을 보면서 사람들 사이의 정을 느끼기도 합니다. 맛있는 음식을 사 먹을 때 특히 즐겁습니다. 그런데 불편한 점도 있습니다. 어떤 가게들은 신용 카드로 계산이 되지 않으니까 현금만 내야 합니다. 신용 카드로 계산할 수 있는 가게들이 더 많이 생기면 좋을 것 같습니다.

69. ㉠에 들어갈 알맞은 말을 고르십시오.

① 싸게 보이려고　　② 쌀 것 같아서

③ 싸게 사려고　　④ 싸게 사기로 했지만

70. 이 글의 내용으로 알 수 있는 것은 무엇입니까?

① 전통 시장에서는 값을 깎을 수 없습니다.

② 신용 카드를 사용할 수 없는 가게들이 있어서 불편할 때도 있습니다.

③ 전통 시장에서 파는 물건들은 모두 생활에서 자주 보는 것들입니다.

④ 전통 시장에 값이 싼 물건이 많아서 자주 갑니다.

第一回模擬試題　解答表

考試回數：第一回模擬試題　　考試等級：TOPIK I　　領域：聽力

題號	解答	配分	題號	解答	配分
1	①	4	16	④	4
2	②	4	17	③	3
3	③	3	18	③	3
4	③	3	19	③	3
5	②	4	20	②	3
6	②	3	21	①	3
7	④	3	22	④	3
8	①	3	23	②	3
9	③	3	24	④	3
10	④	4	25	①	3
11	③	3	26	④	4
12	②	3	27	②	3
13	③	4	28	①	4
14	①	3	29	②	3
15	②	4	30	④	4

考試回數：第一回模擬試題　　考試等級：TOPIK I　　領域：閱讀

題號	解答	配分	題號	解答	配分
31	①	2	51	③	3
32	③	2	52	①	2
33	①	2	53	④	2
34	②	2	54	③	3
35	③	2	55	③	2
36	④	2	56	③	3
37	②	3	57	①	3
38	③	3	58	②	2
39	④	2	59	④	2
40	③	3	60	②	3
41	②	3	61	③	2
42	③	3	62	②	2
43	②	3	63	②	2
44	①	2	64	③	3
45	④	3	65	④	2
46	③	3	66	④	3
47	③	3	67	①	3
48	③	2	68	②	3
49	①	2	69	③	3
50	②	2	70	②	3

第一回模擬試題　完全解析

TOPIK I 聽力（第1題～第30題）

※ [1~4] **다음을 듣고 〈보기〉와 같이 물음에 맞는 대답을 고르십시오.** MP3 | 01

請聽下列對話，並參考<範例>選出符合問題的回答。

1. (4점) (4分) MP3 | 02

남자 : 병원에 가요? 男生：去看醫生嗎？ 여자 : ____________________ 女生：____________________

❶ 네, 병원에 가요. 對，去看醫生。

② 아니요, 병원에 가요. 不，去看醫生。

③ 네, 병원에 안 가요. 對，不去看醫生。

④ 아니요, 병원이 아니에요. 不，不是醫院。

解題 「看醫生」的韓文怎麼說？就是「병원에 가다」，對話中以「去醫院」來表達看醫生。男生問是否去看醫生，女生要回答「네, 병원에 가요.」（對，去看醫生。）或「아니요, 병원에 안 가요.」（不，不去看醫生。）。

答案 ① 네, 병원에 가요. 對，去看醫生。

❗關鍵語彙： 병원 醫院　　　가다 去

❗關鍵文法： N＋에 가다 去N（場所）

2. (4점) (4分) MP3 | 03

여자 : 학생이 많아요?
女生：學生多嗎？
남자 : ________________
男生：________________

① 네, 학생이에요. 對，是學生。

❷ 아니요, 학생이 없어요. 不，沒有學生。

③ 네, 학생이 없어요. 對，沒有學生。

④ 아니요, 학생이 아니에요. 不，不是學生。

解題 女生想要知道學生多不多，因此男生要用「학생이 많아요./적어요.」（學生多 / 少。）或「학생이 없어요.」（沒有學生。）來回答。

答案 ② 아니요, 학생이 없어요. 不，不是學生。

❗關鍵語彙： 학생 學生　　많다 多　　없다 沒有

❗關鍵文法： N+이/가 있다/없다 有 / 沒有N

3. (3점) (3分) MP3 | 04

여자 : 누구와 식사하려고 해요?
女生：打算要和誰吃飯？
남자 : ________________
男生：________________

① 내일 식사하려고 해요. 打算明天要吃飯

② 집에서 식사하려고 해요. 打算要在家吃飯。

❸ 동생하고 식사하려고 해요. 打算要和弟弟吃飯。

④ 한국 음식을 먹으려고 해요. 打算要吃韓國菜。

解題 首先要聽懂「누구와」（和誰），男生要回答和「誰」一起吃飯。還需要知道「누구」（誰）、「와」（和）這二個語彙。

答案 ③ 동생하고 식사하려고 해요. 打算要和弟弟吃飯。

❗關鍵語彙： 누구 誰　　식사를 하다 用餐、吃飯

❗關鍵文法：N+와/과 和N
-(으)려고 하다 打算要做~（表示話者未來計劃及意志）

4. (3점) (3分) MP3 | 05

여자 : 이번 한국 여행은 어땠어요?
女生：這次韓國旅行如何？
남자 : ____________________
男生：____________________

① 지난주에 갔어요. 上星期去的。
② 좀 바빠요. 有點忙。
❸ 아주 재미있었어요. 非常好玩。
④ 한국 사람이에요. 是韓國人。

解題 「어땠어요」（如何）是問過去經驗有何感受的疑問詞，回答者要說自己有什麼感受。女生用過去式問，回答也要用過去式。因此「좀 바빠요」（有點忙）不是答案。「어땠어요」的現在式為「어때요」。

答案 ③ 아주 재미있었어요. 非常好玩。

❗關鍵語彙：어땠어요 如何　재미있다 好玩、有趣　여행 旅行

※ **[5~6] 다음을 듣고 〈보기〉와 같이 이어지는 말을 고르십시오.** MP3 | 06
請聽下列對話，並參考<範例>選出接下來的對話。

5. (4점) (4分) MP3 | 07

여자 : 이거 다른 색깔도 있어요?
女生：這件有別的顏色嗎？
남자 : ____________________
男生：____________________

① 아니요, 찾았어요. 不，找到了。
❷ 네, 잠시만 기다리세요. 有，請稍等。
③ 아니요, 색깔이 달라요. 不，顏色不同。
④ 네, 다른 색깔도 없어요. 是，也沒有別的顏色。

解題 女生是客人，男生是店員。當店員要幫客人確認時，會說「잠시만 기다리세요.」（請稍等）。若沒有別的顏色，店員應該回答說「다른 색깔은 없어요.」（沒有別的顏色。）

答案 ② 네, 잠시만 기다리세요. 有，請稍等。

❗關鍵語彙： 이거 這個　　색깔 顏色
다른 別的（原形詞為「다르다」）　　있다 有
찾다 找　　잠시만 기다리세요 請稍等

❗關鍵文法： N+도 N也
A+(으)ㄴ+N （形容詞的冠形詞）（修飾後面的名詞）
V+(으)세요 請您做～

6. (3점) (3分) MP3 | 08

여자 : 제가 도와드릴까요?
女生：我幫您好嗎？
남자 : ______________
男生：______________

① 네, 안녕하세요. 是，你好。
❷ 네, 감사합니다. 好，謝謝。
③ 네, 맞습니다. 是，沒錯。
④ 네, 도와 드릴까요? 是，要幫忙嗎？

解題 女生說要幫忙。男生若做肯定的回答就要說「네, 감사합니다.」（好，謝謝。）；若做否定的回答通常說「아니요, 괜찮아요.」（不，沒關係。）。「-아/어/여 드릴까요?」是和對方提議的時候常用的疑問語尾。

答案 ② 네, 감사합니다. 好，謝謝。

❗關鍵語彙： 학생 學生　　많다 多　　없다 沒有

❗關鍵文法： 도와 드리다 幫忙（「도와주다」的敬語）
V+아/어/여 드릴까요? 要不要幫您～？

※ [7 ~ 10] 여기는 어디입니까? 〈보기〉와 같이 알맞은 것을 고르십시오. MP3 | 09

這裡是哪裡？請參考<範例>並選出適合的選項。

7. (3점) (3分) MP3 | 10

> 남자 : 주문하시겠어요?
> 男生：請問要點什麼？
> 여자 : 여기 삼계탕 둘하고 비빔밥 세 개 주세요.
> 女生：要二個蔘雞湯跟三個拌飯。

① 회사 公司
② 은행 銀行
③ 커피숍 咖啡廳
❹ 식당 餐廳

解題 男生問「주문하시겠어요?」（請問要點什麼？），由此可以知道二人在點食物的場所。從女生回答說「삼계탕」（蔘雞湯）、「비빔밥」（拌飯）可以知道這裡是「식당」（餐廳）。點餐的時候要說「N 주세요」（我要 N）。

答案 ④ 식당 餐廳

❗關鍵語彙： 주문하다 點（餐） 비빔밥 拌飯 삼계탕 蔘雞湯 주세요 請給我、我要

❗關鍵文法： N 주세요 請給我N

8. (3점) (3分) MP3 | 11

> 여자 : 예쁜 그림도 많고 조용하네요.
> 女生：有不少美麗的畫作又很安靜。
> 남자 : 네. 그래서 저는 여기 자주 와요.
> 男生：對。所以我常來這裡。

❶ 미술관 美術館
② 백화점 百貨公司
③ 편의점 便利商店
④ 극장 電影院

解題 「그림」（畫作）是關鍵字，畫作很多又安靜的地方為「미술관」（美術館）。

答案 ① 미술관　美術館

關鍵語彙： 예쁘다 漂亮　그림 畫　조용하다 安靜
그래서 因此　여기 這裡　자주 時常

關鍵文法： A+(으)ㄴ +N ～的（形容詞的冠形詞）（修飾後面的名詞）
A；V+고 還有
A；V+네요 （感嘆語尾）

9. (3점) (3分) MP3 | 12

남자 : 질문 있어요? 男生：有疑問嗎？ 여자 : 2번 문제를 다시 한 번만 설명해 주세요. 女生：第2題請再說明一次。

① 우체국 郵局
② 서점 書店
❸ 교실 教室
④ 영화관 電影院

解題 從「질문」（問題、疑問）、「2번」（第2題）、「설명해 주다」（幫忙說明）等語彙，可以知道男生是老師、女生是學生，然後二人在教室。

答案 ③ 교실　教室

關鍵語彙： 질문 問題、疑問　2번 第2題　다시 한 번 再一次
설명해 주다 幫忙說明

關鍵文法： N+이/가 있다 有N
V+아/어/여 주세요. 請您幫忙～。
N만 只N

10. (4점) (4分) MP3 | 13

> 여자 : 어떻게 오셨습니까?
> 女生：有什麼事可以幫您嗎？
> 남자 : 머리하고 배가 아프고 기침도 해요.
> 男生：頭跟肚子痛，也咳嗽。

① 도서관 圖書館

② 시장 市場

③ 미용실 美容院

❹ 약국 藥局

解題 女生說「어떻게 오셨습니까?」（有什麼事可以幫您嗎？）這句話，是服務業常對來訪者說的話。男生說明哪裡不舒服，由此二句可以猜測到，對話場所不是醫院就是藥局。

答案 ④ 약국 藥局

❗關鍵語彙： 어떻게 오셨습니까? 有什麼事可以幫您嗎？

머리 頭	배 肚子
아프다 不舒服、疼痛	기침하다 咳嗽

❗關鍵文法： N하고 和N　　A；V+고 還有　　N도 N也

※ [11~14] **다음은 무엇에 대해 말하고 있습니까? 〈보기〉와 같이 알맞은 것을 고르십시오.** MP3 | 14

以下在談論關於什麼？請參考<範例>並選出適合的選項。

11. (3점) (3分) MP3 | 15

> 남자 : 보통 가게에서 옷을 사요?
> 男生：你通常在店裡買衣服嗎？
> 여자 : 아니요, 저는 보통 인터넷에서 사요.
> 女生：不，我通常在網路上買。

① 주말 週末

② 선물 禮物

❸ 쇼핑 購物

④ 날씨 天氣

解題 是談論在店裡還是在網路上買衣服的對話，由此可知二人在談關於「쇼핑」（購物）的事情。

答案 ③ 쇼핑 購物

❗關鍵語彙：가게 店　옷 衣服　사다 買
인터넷 網路　보통 通常

❗關鍵文法：N（場所）＋에서 在N（場所）

12. (3점) (3分) MP3 | 16

남자 : 이번 주말에 시간이 있어요? 같이 영화 보러 갈까요?
男生：這個週末有空嗎？要不要一起去看電影？
여자 : 네, 좋아요. 몇 시에 어디에서 만나요?
女生：好啊。要幾點在哪裡見面？

① 방학 放假

❷ 약속 約會、約定

③ 장소 場所

④ 건강 健康

解題 男生提議一起去看電影，女生也回答問說要幾點在哪裡見面。如此敲定日期和時間見面就是「약속」（約會、約定）。

答案 ② 약속 約會、約定

❗關鍵語彙：시간이 있다 有空　몇 시 幾點　어디 哪裡
만나다 見面　좋다 好　같이 一起
영화 보러 가다 去看電影

❗關鍵文法：V+(으)러 가다 去做～
N（時間）＋에 在N（時間）的時候
N（場所）＋ 에서 在N（場所）
V+(으)ㄹ 까요? 要不要～？（提議）

13. (4점) (4分) MP3 | 17

여자 : 이 근처로 집을 옮겼지요? 새 집은 좋아요?
女生：你搬到這附近了對吧？新家好嗎？
남자 : 네, 깨끗하고 조용해서 마음에 들어요.
男生：是啊，房子既乾淨又安靜，我很喜歡。

① 주소 住址
② 생일 生日
❸ 이사 搬家
④ 방문 拜訪

解題 二人在談論男生的新家。從「집을 옮기다」（搬家）一詞可以知道他們在談論搬新家的事。

答案 ③ 이사 搬家

❗關鍵語彙：	근처 附近	옮기다 搬、換
	새 집 新家	마음에 들다 喜歡、滿意
	깨끗하다 乾淨	조용하다 安靜

❗關鍵文法：	A；V＋지요? 是～對吧？	A；V＋아/어/여서 因為～

14. (3점) (3分) MP3 | 18

남자 : 태어난 곳이 어디예요?
男生：你在哪裡出生？
여자 : 저는 제주도에서 태어났어요.
女生：我在濟州島出生。

❶ 고향 家鄉
② 날짜 日期
③ 나라 國家
④ 동물 動物

解題 從「어디」（哪裡）和「태어나다」（出生）等語彙可以推測二個人談論的話題是「고향」（家鄉）。

答案 ① 고향 家鄉

❗關鍵語彙：태어나다 出生　　　곳 地方

❗關鍵文法：N（場所）에서 在N（場所）
V+(으)ㄴ+N（動詞過去式的冠形詞）

※ **[15~16] 다음 대화를 듣고 알맞은 그림을 고르십시오. (각 4점)** MP3 | 19
請聽以下對話，並選出正確的圖畫。（各4分）

15. MP3 | 19

여자：여기에서 뭐 하세요? 누구 기다리세요?
女生：您在這裡做什麼？等人嗎？
남자：비가 오는데 우산이 없어서요. 지하철역까지 좀 데려다 줄 수 있어요?
男生：下雨了，但我沒傘。能不能帶我到地鐵站？

❷

解題 要注意「누구 기다리세요?」（等人嗎？）、「비가 오는데 우산이 없어요.」（下雨了，但我沒傘。）、「데려다 주다」（帶～去（地方））等句子。由這三句可以知道，男生在某處躲雨，正好遇到女生，並請女生幫忙。

答案 ②

❗關鍵語彙： 기다리다 等待　　비가 오다 下雨
데려다 주다 帶～去（地方）、送～去（地方）

❗關鍵文法： N까지 到N（場所）
A；V＋아/어/여서 因為～（表示事情的原因、理由）
V+(으)ㄹ 수 있다 可以做～

16. MP3 | 20

남자 : 이 영화 재미있을 것 같아요. 이거 볼까요?
男生：這部電影好像很好看。我們看這部好不好？
여자 : 공포 영화는 무서워서 보고 싶지 않아요. 액션 영화 봐요.
女生：恐怖片好可怕，我不想看。看動作片吧。

②

❹

解題 從二人的對話中，可以知道男生指著恐怖電影的海報，而女生拒絕了男生的提議。

答案 ④

❗關鍵語彙： 영화를 보다 看電影　　재미있다 有趣　　공포 영화 恐怖片
무섭다 害怕　　액션 영화 動作片

❶ 關鍵文法：V+(으)ㄹ 것 같다 覺得好像～　A；V+아/어/여서 因為～
A；V+지 않다 不～　V+고 싶다 想～

※ [17~21] **다음을 듣고 〈보기〉와 같이 대화 내용과 같은 것을 고르십시오. (각 3점)** MP3 | 21

請聽下列對話，並參考<範例>選出和對話內容一致的選項。（各3分）

17. MP3 | 21

여자 : 민수 씨, 늦어서 미안해요.
女生：敏秀先生，對不起，我遲到了。
남자 : 아니에요. 차가 많이 막혔지요?
男生：沒關係。車塞得很厲害對吧？
여자 : 네. 평소에는 40분쯤 걸리는데 오늘은 한 시간이나 걸렸어요.
女生：對。平常大概花40分鐘，但今天竟花了一個鐘頭。

解題 ① 여자는 약속 시간에 늦지 않았습니다.
女生沒有遲到。 不符 → 女生說了對不起，遲到了。

② 남자는 여자에게 화가 났습니다.
男生對女生生氣了。 不符 → 男生說了沒關係。

❸ 여자는 약속 시간보다 늦게 왔습니다.
女生比約定時間晚到。 相符

④ 남자는 차가 막혀서 30분 늦게 왔습니다.
男生因為塞車，晚到了30分鐘。 不符 → 是女生晚到。

答案 ③ 여자는 약속 시간보다 늦게 왔습니다. 女生比約定時間晚到。

❶ 關鍵語彙：늦다 晚、遲到　차가 막히다 塞車　평소 平時
걸리다 花（時間）　오늘 今天　한 시간 一小時
약속 시간 約定時間　늦게 오다 晚到、遲到
화가 나다 生氣、不高興

❶ 關鍵文法：N (이)나 N（數量比想的更多）竟達～
A、V 지요? 是A、V對吧？

18. MP3 | 22

남자 : 일요일에 친구하고 등산을 가려고 하는데 같이 갈래요?
男生：星期日想要跟朋友去登山，你要不要一起去？
여자 : 등산이요? 저도 한국에서 한번 가 보고 싶기는 한데 옷이나 신발이 필요하지 않아요?
女生：登山嗎？我在韓國也想去一次看看，但是是不是需要衣服或鞋子？
남자 : 산이 별로 높지 않으니까 등산복이나 등산화는 없어도 상관없어요.
男生：因為山不太高，沒有登山服或登山鞋也沒關係。
여자 : 그래요? 그럼 같이 가요.
女生：是嗎？那麼一起去吧。

解題 ① 여자는 등산을 안 좋아합니다.
女生不喜歡登山。 不符 → 女生想在韓國登山。

② 여자는 높은 산에 올라가고 싶어 합니다.
女生想爬高山。 不符 → 沒有提到女生想不想爬高山。

❸ 여자는 아직 한국에서 등산을 해 본 적이 없습니다.
女生在韓國尚未有登山經驗。 相符 → 女生說想在韓國登山，表示在韓國還沒登山過。

④ 남자는 여자에게 등산복과 등산화를 선물할 겁니다.
男生要送女生登山服和登山鞋。 不符 → 男生沒說要送女生衣服和鞋子。

答案 ③ 여자는 아직 한국에서 등산을 해 본 적이 없습니다.
女生在韓國沒有登山的經驗。

❗關鍵語彙： 높다 高　올라가다 上去　등산복 登山服
등산화 登山鞋　선물하다 送禮物　옷 衣服
신발 鞋子　별로 不怎麼樣　산 山
해 보고 싶다 想試試

❗關鍵文法： V+고 싶어하다 想做～
V+아/어/여 본 적이 없다 沒試過～
N (이)나 N或是
별로 ~지 않다 不怎麼～
V+아/어/여도 상관없다 做～也沒關係
A；V+기는 하다 的確是～

19. MP3 | 23

남자 : 이 사람이 혹시 현주 씨의 언니예요?
男生：這個人是不是賢珠小姐的姐姐？
여자 : 아니요, 제 동생이에요. 동생이 저보다 키가 좀 커요.
女生：不是，是我妹妹。妹妹的個子比我高了一點。
남자 : 그런데 현주 씨하고 안 닮은 것 같아요.
男生：但是好像跟賢珠小姐不像。
여자 : 네, 동생은 아버지를 닮았어요. 다음 번에 아버지 사진을 보여 드릴게요.
女生：對，妹妹像爸爸。下次給您看爸爸的照片。

解題 ① 여자는 남자한테 아버지를 소개하고 있습니다.

女生給男生介紹她的父親。 不符 → 女生給男生看妹妹的照片。

② 여자는 남자에게 아버지의 사진을 보여 주었습니다.

女生給男生看，她父親的照片。 不符 → 女生説下次給男生看父親的照片，表示男生還沒看過女生父親的照片。

❸ 남자는 여자의 아버지를 만난 적이 없습니다.

男生沒看過女生的父親。 相符 → 男生不知道女生的妹妹長得像爸爸，且女生説下次給男生看父親的照片，這表示男生沒見過女生的父親。

④ 남자는 여자의 가족을 만나고 있습니다.

男生正在和女生的家人見面。 不符 → 男生正在看女生妹妹的照片。

答案 ③ 남자는 여자의 아버지를 만난 적이 없습니다.

男生沒看過女生的父親。

❗關鍵語彙： 가족 家人　소개하다 介紹　만나다 見面
닮다 （長得）像　언니 姐姐　동생 妹妹或弟弟
가족 사진 全家福照片　아버지 父親

❗關鍵文法： V+고 있다 正在做～
V+아/어/여 드릴게요 我來（為您）做～
N 을/를 닮다 長得像N
V+(으)ㄴ 적이 있다 曾做過～
A；V+(으)ㄴ/는 것 같다 好像～

第一回 模擬試題 解答表 完全解析

20. MP3 | 24

남자 : 여보세요. 몇 시쯤 한국에 도착해요?
男生：喂？妳大概幾點到韓國？
여자 : 오후 1시에 출발하니까 오후 5시쯤 도착할 거예요.
女生：下午1點出發，大概下午5點左右會到。
남자 : 그럼 제가 공항에 마중 나갈게요. 공항에서 만나요.
男生：那我去機場接妳。我們在機場見。
여자 : 아니에요. 그냥 서울까지 혼자 갈 수 있어요. 나오지 마세요.
女生：不用，我可以自己去到首爾。您不用出來。

解題 ① 남자는 택시로 공항에 갈 겁니다.
男生要搭計程車去機場。 不符 → 沒提到男生要怎麼去機場。

❷ 여자는 혼자 서울에 가려고 합니다.
女生想要自己去首爾。 相符 → 女生說可以自己去首爾。

③ 여자는 3시간 동안 비행기를 타야 합니다.
女生要搭3個小時的飛機。 不符 → 飛機在下午1點出發，下午5點抵達，所以要搭4小時的飛機。

④ 남자는 지금 공항에서 일하고 있습니다.
男生在機場工作。 不符 → 男生說要去機場，而不是在機場工作。

答案 ② 여자는 혼자 서울에 가려고 합니다. 女生想要自己去首爾。

❗關鍵語彙： 도착하다 到達　출발하다 出發　공항 機場
혼자 自己一個人　일하다 工作
마중 나가다 出去迎接

❗關鍵文法： V+(으)ㄹ게요 我要做～
A；V+(으)ㄹ 것이다 應該會～
N(으)로 利用N（交通工具）　V+(으)ㄹ 수 있다 可以做～
V+(으)려고 하다 打算要做～　V+지 말다 不要做～

21. MP3 | 25

여자 : 잘 다녀왔어요? 이번 여행은 어땠어요?
女生：旅行還順利嗎？這次旅行如何？
남자 : 대만을 여행하는 동안 음식도 맛있고 사람들도 친절해서 좋았어요.
男生：在台灣旅行期間，不僅食物很好吃、人們也很親切，真的很開心。
여자 : 그렇군요. 상훈 씨는 여행을 자주 가는 것 같아요.
女生：這樣啊。相勳先生你好像常去旅行。
남자 : 맞아요. 여행을 정말 좋아해서 두 달에 한 번은 꼭 가요.
男生：對。因為我很喜歡旅行，每二個月一定會去一次。

解題 ❶ 남자는 두 달에 한 번씩 여행을 갑니다.
男生每二個月去旅行一次。 相符
② 여자는 대만 음식을 먹어 보고 싶어 합니다.
女生想吃台灣菜。 不符 →沒提到女生想不想吃台灣菜。
③ 남자는 여행사에서 일합니다.
男生在旅行社工作。 不符 →男生喜歡旅行，沒提到他在哪裡工作。
④ 여자는 여행하는 것을 좋아합니다.
女生喜歡旅行。 不符 →是男生喜歡旅行。

答案 ① 남자는 두 달에 한 번씩 여행을 갑니다. 男生每二個月去旅行一次。

❗關鍵語彙： 여행하다 旅行　다녀오다 去一趟　좋아하다 喜歡
음식 飲食　친절하다 親切　여행사 旅行社
자주 常常　두 달에 한 번 二個月一次

❗關鍵文法： N도 N도 N也N也
A；V+(으)ㄴ/는 것 같다 好像～
A、V+아/어/여서 因為～
V+는 동안 在做～的期間

※ [22~24] **다음을 듣고 <u>여자</u>의 중심 생각을 고르십시오. (각 3점)** MP3 | 26

請聽下列對話，並選出女生的核心想法。（各3分）

22. MP3 | 26

남자：영주 씨는 왜 걷기 운동을 시작했어요?
男生：英珠小姐為什麼會開始走路運動？
여자：처음에는 다이어트 때문에 시작했는데 지금은 건강을 위해서 걸어요.
女生：一開始是為了減肥，但現在是為了健康而走。
남자：그렇군요. 저도 운동을 해야 하는데 매일 바빠서 시간이 안 나요.
男生：這樣啊。我也應該要運動，但每天都很忙抽不出時間。
여자：걷기가 시간이 많이 걸리지 않아요. 회사나 집 근처를 잠깐씩 걸으면 정신도 맑아지고 건강에도 좋아요. 건강해야 일도 할 수 있잖아요.
女生：走路不會花很多時間。在公司或家附近走一下，精神也變清醒，對健康也有益。要健康才可以工作啊。

解題 當初女生為了減肥開始走路運動，但現在是為了維持健康而走。

① 걷기 운동은 시간이 많이 필요합니다.
走路運動要花很多時間。

② 건강을 위해서 걷기를 시작했습니다.
為了健康開始走路運動。

③ 시간이 있을 때마다 집 근처를 걷습니다.
每次有空就會去家附近走路。

❹ 걷기 운동은 건강에 많은 도움을 줍니다.
走路運動對健康很有益。

答案 ④ 걷기 운동은 건강에 많은 도움을 줍니다. 走路運動對健康很有益。

❗關鍵語彙： 걷기 走路　운동 運動　시작하다 開始
다이어트 減肥　건강 健康　시간이 걸리다 花時間
잠깐씩 一下下　정신 精神　맑아지다 變清醒
건강에 좋다 對健康有益

❗關鍵文法： N 때문에 因為N　N을/를 위해서 為了N
A；V+(으)면 若～的話　A+아/어/여지다 變得～
N에 좋다 對N有益　A；V+잖아요 不是～嗎

23. MP3 | 27

남자 : 수미 씨, 지금 뭐 해요?
男生：秀美小姐現在在做什麼？
여자 : 달력에 가족들과 친구들 생일을 적고 있어요.
女生：在月曆上填家人和朋友的生日。
남자 : 새해가 되면 항상 달력에 생일을 써요?
男生：每當新的一年都會在月曆上寫上生日嗎？
여자 : 네. 이렇게 생일을 써 놓으면 잊어버리지 않아요. 그리고 미리 선물을 준비할 수도 있어서 좋아요.
女生：對。這樣寫上生日的話就不會忘記。而且可以事先準備禮物所以很好。

解題 女生在月曆上寫生日，說這樣就不會忘記，而且可以事先準備禮物。這句就是她寫上親友們生日的目的。

① 여자는 사람들의 생일을 자주 잊어버립니다.
女生常常忘記別人的生日。

❷ 달력에 생일을 써 놓으면 기억하기 쉽습니다.
在月曆上寫上生日就容易記得。

③ 여자는 사람들에게 새해 선물로 달력을 선물합니다.
女生送人月曆當新年禮物。

④ 여자는 달력에 선물할 사람을 적어 놓습니다.
女生在月曆上寫好要送禮物的對象。

答案 ② 달력에 생일을 써 놓으면 기억하기 쉽습니다.
在月曆上寫上生日就容易記得。

❗關鍵語彙：
달력 月曆　가족 家人　친구 朋友
생일 生日　적다 填寫　새해 新年
쓰다 寫　잊어버리다 忘記　선물 禮物
준비하다 準備　기억하다 記住、記得

❗關鍵文法：
N마다 每個N
V+아/어/여 놓다 做好～（表示動作的結果保持著）
V+게 되다 變得～
V+기 쉽다 容易做～

24. MP3 | 28

> 남자 : 오늘도 도서관에서 만나네요. 요즘 매일 도서관에 오지요?
> 男生：今天也在圖書館見面了。最近每天都來圖書館對吧？
> 여자 : 네. 생각보다 어려워서 시험 준비에 시간이 많이 걸려요.
> 女生：對。因為考試比我想像的難，準備考試要花很多的時間。
> 남자 : 좀 긴장한 것 같아요. 열심히 했으니까 너무 긴장하지 마세요.
> 男生：妳（看起來）好像有點緊張。妳很用功，請不要太緊張。
> 여자 : 그래도 실수할까 봐 걱정이 돼요. 실수하지 않고 시험을 잘 봤으면 좋겠어요.
> 女生：但還是怕失誤所以很擔心。若能不失誤，考試考好的話就好了。

解題 ① 시험을 잘 못 봐서 걱정입니다.

考試考不好，所以很擔心。 不符 → 還沒考試。

② 시험 공부를 열심히 하지 않아서 걱정됩니다.

沒有認真準備考試，所以感到擔心。 不符 → 女生有認真準備考試。

③ 공부를 열심히 했기 때문에 걱정이 없습니다.

因為很用功，所以不擔心。 不符 → 雖然很用功，但還是怕失誤。

❹ 실수를 하지 않고 시험을 잘 보고 싶습니다.

不失誤，想把考試考好。 相符 → 女生最後一句說的就是這段對話的核心內容。

答案 ④ 실수를 하지 않고 시험을 잘 보고 싶습니다.

不失誤，想把考試考好。

❗關鍵語彙：

도서관 圖書館	어렵다 難	시험 考試
준비 準備	시간이 걸리다 花時間	긴장하다 緊張
열심히 하다 用心做	실수하다 失誤	걱정이 되다 感到擔心
시험을 잘 보다 考試考得不錯		

❗關鍵文法：

N보다 比起N

A；V+(으)ㄴ/는 것 같다 好像～

A；V+(으)니까 因為～

V+지 마세요 請不要做～

V+(으)ㄹ까 봐 怕～

A；V+았/었/였으면 좋겠다 若能～的話就好了

V+고 싶다 想做～

※ [25~26] **다음을 듣고 물음에 답하십시오.** 請聽下列短文並回答問題。 MP3 | 29

여자 : '꽃향기 도서관'에서 알려 드립니다. 이번 주 금요일부터 다음 주 일요일까지 10일 동안 2층 자료실과 8층 시청각실이 공사 때문에 문을 열지 않습니다. 이 기간에는 책 반납만 가능하니 참고하시기 바랍니다. 이용에 불편을 드려서 죄송합니다.

女生：「花香圖書館」向各位報告。從這星期五開始到下星期日10天期間，2樓資料室及8樓視聽室因施工不開放。這段期間只能還書，還請參考。造成您的不便，非常抱歉。

25. 어떤 이야기를 하고 있는지 고르십시오. (3점) 請選出正在談論的內容。（3分）

❶ 안내 指南、介紹說明

② 인사 問候

③ 감사 感謝

④ 부탁 請求

解題 女生對圖書館施工做廣播說明。

答案 ① 안내 指南、介紹說明

26. 들은 내용과 같은 것을 고르십시오. (4점) 請選出與聽到的內容一致的選項。（4分）

解題 ① 도서관에서 지금 공사를 하고 있습니다.

圖書館現在正在施工中。 不符 → 圖書館即將要施工。

② 10일 동안 2층을 이용할 수 있습니다.

10天期間可以使用2樓。 不符 → 因施工不開放。

③ 다음 주말에는 책을 빌릴 수 있습니다.

下週末可以借書。 不符 → 施工期間到下週日。

❹ 공사 기간 동안 책을 반납해도 됩니다.

施工期間也可以還書。 相符

答案 ④ 공사 기간 동안 책을 반납해도 됩니다. 施工期間也可以還書。

❗關鍵語彙：

도서관 圖書館	알려 드리다 告知
이번 주 這星期、這週	다음 주 下星期、下週
공사 施工	문을 열다 開門、開放
기간 期間	책 書籍

반납 還	가능하다 可行、可能
금요일 星期五	일요일 星期日
빌리다 借	이용하다 利用、使用

❗ **關鍵文法：** N에서 N까지 從N到N　　N때문에 因為N的關係
A；V+지 않다 不～　　A；V+기 바라다 希望～

※ [27~28] **다음을 듣고 물음에 답하십시오.** 請聽下列對話，並回答問題。 MP3 I 30

남자 : 정선 씨, 취직 축하해요. 전부터 그 회사에 가고 싶어했잖아요.
男生：正宣小姐，恭喜妳找到工作。妳以前不就想去那家公司嗎。
여자 : 네, 고마워요. 덕분에 좋은 회사에 들어가게 됐어요.
女生：對啊，謝謝你。托你的福，我才能進到好公司。
남자 : 회사 생활은 어때요?
男生：公司生活如何？
여자 : 아직 한 달밖에 안 돼서 실수가 많아요. 그래도 일은 재미있어요.
女生：才（上班）一個月，所以常常犯錯。不過即使如此，工作還是很有趣。
남자 : 그래요? 동료들은 잘 도와 줘요?
男生：是嗎？同事們常幫忙妳嗎？
여자 : 네, 다행히 모두들 잘 가르쳐 줘요.
女生：對啊，所幸大家都很樂意教導我。

27. 두 사람이 무엇에 대해 이야기하고 있는지 고르십시오. (3점)
請選出二人正在談論的話題。（3分）
① 일에 대한 관심 對工作的興趣
❷ 요즘 다니고 있는 회사 最近在上班的公司
③ 실수가 많은 이유 常犯錯的理由
④ 취직하고 싶은 회사 想就職的公司

解題 二個人在談女生最近開始去上班的公司生活。

答案 ② 요즘 다니고 있는 회사 最近在上班的公司

28. 들은 내용과 같은 것을 고르십시오. (3점) 請選出與聽到的內容一致的選項。（3分）

解題 ❶ 여자는 한 달 전에 회사에 취직했습니다.

女生在一個月前到公司就職。 相符 → 女生說進公司到現在只有一個月。

② 여자는 실수를 별로 안 해서 동료들이 좋아합니다.

因為女生不常犯錯，同事都喜歡她。 不符 → 女生常犯錯。

③ 남자는 일을 재미없어합니다.

男生覺得工作不好玩。 不符 → 沒有提到男生工作。

④ 여자는 들어가고 싶지 않은 회사에 취직했습니다.

女生進了不想進的公司上班。 不符 → 女生以前就想進這間公司。

答案 ① 여자는 한 달 전에 회사에 취직했습니다. 女生在一個月前進公司。

❗關鍵語彙：

취직하다 就職	전부터 從以前	회사 公司
덕분에 托～福	회사 생활 公司生活	한 달 一個月
실수 失誤、犯錯	동료 同事	다행히 所幸
가르쳐 주다 幫忙教導	도와 주다 幫忙	관심 興趣

❗關鍵文法：

V＋게 되다 變得～	N밖에 只有N
V＋고 싶어하다 想做～	A；V＋아/어/여서 因為～

※ [29~30] **다음을 듣고 물음에 답하십시오.** 請聽下列對話，並回答問題。 MP3 | 31

남자：무슨 일 있어요? 기분이 좋아 보여요.

男生：有什麼事嗎？心情看起來很好。

여자：다음 달에 부모님이 한국에 놀러 오실 거예요. 참, 부모님이 오시면 어디에 가는 게 좋을까요?

女生：下個月爸媽要來韓國玩。啊，對了，爸媽來的話去哪裡比較好？

남자：경복궁 어때요? 한복 입기 체험도 있고 한국의 옛날 모습도 볼 수 있어요. 그리고 근처에 맛있는 삼계탕 식당도 있어서 부모님이 좋아하실 것 같아요.

男生：景福宮如何？有穿韓服體驗，也可以看韓國以前的面貌。而且附近有好吃的人蔘雞湯餐廳，妳爸媽應該會喜歡。

여자：그래요? 그럼 꼭 가 봐야겠네요.

女生：是嗎？那一定要去看看呢！

29. 여자는 왜 남자에게 경복궁을 소개받았습니까? (3점)

女生為什麼聽了男生介紹景福宮？（3分）

① 삼계탕 식당을 알아 보려고 想要打聽人蔘雞湯餐廳

❷ 부모님과 함께 관광하려고 想要和父母觀光

③ 한복 입기 체험을 하고 싶어서 想要體驗韓服

④ 옛날에 가 본 적이 없어서 因為以前沒去過

解題 女生的父母要來韓國，男生介紹女生可以去觀光的地方。

答案 ② 부모님과 함께 관광하려고 想要和父母觀光

30. 들은 내용과 같은 것을 고르십시오. (4점) 請選出與聽到內容一致的選項。（4分）

解題 ① 여자의 부모님이 한국에 놀러 오셨습니다.

女生的父母來韓國玩了。 不符 → 他們下個月才要來。

② 여자는 남자에게 경복궁을 추천했습니다.

女生給男生推薦景福宮。 不符 → 是男生推薦景福宮。

③ 경복궁에 맛있는 삼계탕 식당이 있습니다.

景福宮有好吃的人蔘雞湯餐廳。 不符 → 景福宮「附近」有人蔘雞湯餐廳。

❹ 경복궁에 가면 한복을 입어볼 수 있습니다.

去景福宮可以試穿韓服。 相符 → 有穿韓服體驗。

答案 ④ 경복궁에 가면 한복을 입어볼 수 있습니다. 去景福宮可以試穿韓服。

❗關鍵語彙：

다음 달 下個月	부모님 父母
놀러 오다 來玩	경복궁 景福宮
식당 餐廳	근처 附近
한복 입기 체험 穿韓服體驗	옛날 모습 以前的樣貌
좋아하다 喜歡	추천하다 推薦

❗關鍵文法：

A、V+(으)면 若～的話	A+아/어/여 보다 試著做～
A、V+(으)ㄹ 것 같다 可能會～	V+(으)ㄹ 수 있다 可以做～
A+아/어/여 보이다 看起來～	V+(으)ㄹ 것이다 應該會～
V+는 게 좋다 做～比較好	

TOPIK I 閱讀（第31題～第70題）

※ [31~33] 무엇에 대한 이야기입니까? 〈보기〉와 같이 알맞은 것을 고르십시오. (각 2점)

是關於什麼的敘述？請參考<範例>並選出適合的選項。（各2分）

31.

저는 미국 사람입니다. 수현 씨는 한국 사람입니다. 我是美國人。秀賢先生是韓國人。

❶ 나라 國家　② 이름 名字　③ 직업 職業　④ 장소 場所

解題 美國人、韓國人都是介紹國家的語彙。

答案 ① 나라 國家

❗關鍵語彙：미국 사람 美國人　한국 사람 韓國人　나라 國家

❗關鍵文法：N은/는 表示N是對後面的敘述詞當主詞

32.

토요일에는 산에 갑니다. 그리고 일요일에는 집에서 쉽니다. 星期六去山上。還有星期日在家休息。

① 달력 月曆　② 약속 約定　❸ 주말 週末　④ 취미 興趣

解題 星期六、星期日都是指週末。

答案 ③ 주말 週末

❗關鍵語彙：토요일 星期六　일요일 星期日

❗關鍵文法：N（場所）에 가다 去N（場所）　N（場所）에서 在N（場所）
N（時間）에 在N（時間）

33.

저는 자주 야구를 합니다. 그리고 농구도 합니다. 我常常打棒球。而且也打籃球。

❶ 운동 運動　② 요일 星期　③ 직업 職業　④ 휴일 假日

答案 ① 운동 運動

❗關鍵語彙：야구하다 打棒球　농구하다 打籃球

※ **[34~39] 〈보기〉와 같이 (　　　　)에 들어갈 가장 알맞은 것을 고르십시오.**

請參考<範例>並選出適合填入（　　　　）的選項。

34. (2점)（2分）

주말에 가족들(　　　　) 식사를 합니다. 週末（　　　　）家人吃飯。

① 에게 給

❷ 과 和

③ 에 在

④ 을 把

解題 這一題要找適合的助詞。「和N」的助詞有「하고」、「와/과」。「하고」是口語講法，「와/과」是「하고」的書面語。N的最後一個字有尾音就加「과」，沒有尾音就加「와」。

答案 ② 과 和

❗關鍵語彙：주말 週末　가족 家人　식사를 하다 用餐

❗關鍵文法：N와/과 = N하고 和N

35. (2점)（2分）

방학에 고향에 갔습니다. 친구들을 많이 (　　　　). 放假去了家鄉。（　　　　）很多朋友。

① 놀았습니다 玩了

② 살았습니다 居住

❸ 만났습니다 見了

④ 보냈습니다 送了

解題 「和朋友見面」的韓文是「친구를 만나다」。

答案 ③ 만났습니다 見了

❗關鍵語彙：친구를 만나다 見朋友　방학 寒暑假　고향 故鄉

36. (2점) (2分)

수영을 합니다. (　　　　)에 갑니다. 游泳。去（　　　　）。

① 서점 書店

② 은행 銀行

③ 산 山

❹ 바다 海

解題 「수영」（游泳）要去游泳池或海邊。所以要選「수영장」（游泳池）或「바다」（海邊）等選項。

答案 ④ 바다 海

❗關鍵語彙： 수영 游泳　　바다 海

37. (3점) (3分)

머리를 (　　　　). 지금은 길이가 많이 짧아졌습니다. （　　　　）頭髮。現在頭髮長度變很短了。

① 빗었습니다 梳了

❷ 잘랐습니다 剪了

③ 길렀습니다 留長了

④ 만졌습니다 摸了

解題 「머리」除了「頭部」的意思外，也有「머리카락」（頭髮）及「두뇌」（頭腦）的意思。從「길이가 많이 짧아졌습니다.」（長度變很短）可以猜測應為剪頭髮。

答案 ② 잘랐습니다 剪了

❗關鍵語彙： 자르다 剪　　짧아지다 變短

❗關鍵文法： A＋아/어/여지다 （情況）變得～

38. (3점) (3分)

지금은 너무 바쁩니다. 그러니까 (　　　　) 전화를 할 겁니다. 現在太忙。所以要（　　　　）打電話。

① 자주 常常

② 제일 最

❸ 나중에 以後、之後

④ 언제나 總是

解題 這一題在問常用的副詞。太忙的關係，所以現在不能接電話。「이따가」（等一下）或「나중에」（以後、之後）再通電話。「자주」（常常）、「제일」（最）、「언제나」（總是）等，都是經常使用的副詞。

答案 ③ 나중에 以後、之後

❗關鍵語彙： 바쁘다 忙　　나중에 以後、之後

39. (2점) (2分)

경치가 아름다웠습니다. 그래서 사진을 많이 (　　　　). 風景很美麗。所以（　　　　）很多照片。

① 봤습니다 看了

② 그렸습니다 畫了

③ 받았습니다 收了

❹ 찍었습니다 拍了

解題 拍「사진」（照片）的動詞是「찍다」（拍）。

答案 ④ 찍었습니다 拍了

❗關鍵語彙： 사진을 찍다 拍照

[40~42] 다음을 읽고 맞지 <u>않는</u> 것을 고르십시오. (각 3점)

請閱讀下文並選出<u>不</u>正確的選項。 (各3分)

40.

어린이 뮤지컬 "크리스마스 선물"을 보러 오세요 !

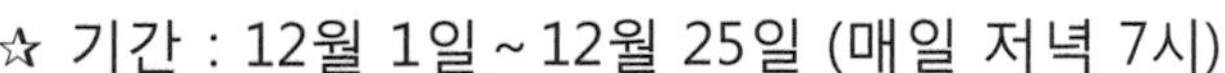

☆ 기간 : 12월 1일 ~ 12월 25일 (매일 저녁 7시)

☆ 장소 : 대학로 꿈나무 소극장 (혜화역 3번 출구 앞)

☆ 입장료 : 7천 원 (토,일은 8천 원)

※ 공연이 끝난 후에 어린이들에게 선물을 나눠 드립니다.

請來看看兒童音樂劇「聖誕禮物」！

☆ 期間：12月1日～12月25日（每天晚上7點）

☆ 地點：大學路夢樹小劇場（捷運惠化站3號出口前）

☆ 入場費：7千韓元（六、日為8千韓元）

※ 表演結束後，將贈送禮物給在座小朋友們。

解題 ① 주말은 평일보다 표가 더 비쌉니다.

週末票比平日貴。 相符 →六、日票價為8千元，比平日票價貴1千元韓幣。

② 크리스마스 때까지 매일 공연이 있습니다.

到聖誕節為止，每天都有表演。 相符 → 表演期間為1日至25日，每天都有。

❸ 이 뮤지컬은 어른들이 보는 공연입니다.

這場音樂劇是大人看的表演。 不符 → 是兒童看的音樂劇。

④ 어린이들은 공연을 다 보면 선물을 받을 수 있습니다.

小朋友們看完表演能收到禮物。 相符 → 表演完，將贈送禮物給小朋友。

答案 ③ 이 뮤지컬은 어른들이 보는 공연입니다.

這場音樂劇是大人觀賞的表演。

❗ 關鍵語彙：

어린이 兒童、小朋友	뮤지컬 音樂劇	공연 表演
날짜 日期	장소 地點、場所	어른 大人
입장료 入場費	평일 平日	주말 週末
선물 禮物	매일 每日	

❗ 關鍵文法：

V+(으)ㄴ 후에 做～後

N（日期）까지 直到N（日期）為止

V+(으)ㄹ 수 있다 可以做～

N보다 比起N

41.

찾아 주세요!

★ 지갑을 잃어버렸습니다.

★ 9월 16일 오후에 학생 식당에서 없어졌습니다.

★ 지갑 안에 학생증과 현금 약간이 들어 있습니다.

★ 찾으신 분은 이영주(010-2345-6789)에게 전화해 주세요.

請幫我找找！

★ 我丟失了錢包。

★ 於9月16日下午在學生餐廳遺失。

★ 錢包裡有學生證及些許現金。

★ 找到的人，請打電話給 李英周（010-2345-6789）。

解題 ① 지갑을 잃어버려서 찾고 있습니다.

丟失錢包正在找。 相符 → 是協尋錢包的啟示。

❷ 지갑에 현금만 조금 있습니다.

錢包裡只有一點的現金。 不符 → 錢包裡有些許現金和學生證。

③ 지갑을 찾으면 이영주 씨에게 연락해야 합니다.

若找到錢包，要和李英珠小姐連絡。 相符 → 李英珠小姐就是錢包的主人，要和她連絡。

④ 지갑을 잃어버린 곳은 학생 식당입니다.

丟失錢包的地方是學生餐廳。 相符 → 於9月16日下午在學生餐廳遺失。

答案 ② 지갑에 현금만 조금 있습니다. 錢包裡只有一點的現金。

關鍵語彙：찾다 尋找　찾아 주다 幫忙找　학생 식당 學生餐廳
없어지다 不見　지갑 錢包　학생증 學生證
현금 現金　들어 있다 裝著　전화하다 打電話
잃어버리다 丟失　연락하다 連絡

關鍵文法：V＋고 있다 正在做～
N＋만 只有～
V＋아/어/여 있다 做～著（表示動作結束後，狀態的持續）
V＋아/어/여야 하다 應該要做～
V＋(으)ㄴ （動詞過去式的冠形詞）

42.

일	월	화	수	목	금	토
30 11:00 수영 교실	**31** 10:00-12:00 한국어 수업	**1** 10:00-12:00 한국어 수업	**2** 10:00-12:00 한국어 수업 12:10 린다 씨와 점심	**3** 10:00-12:00 한국어 수업 15:00 명동 극장	**4** 10:00-12:00 한국어 수업	**5**
6 11:00 수영 교실	**7** 10:00-12:00 한국어 수업 14:00 미용실	**8** 10:00-12:00 한국어 수업	**9** 10:00-12:00 한국어 수업 12:10 린다 씨와 점심	**10** 10:00-12:00 한국어 수업	**11** 10:00-12:00 한국어 수업	**12**

日	一	二	三	四	五	六
30 11:00 游泳教室	**31** 10:00-12:00 韓文課	**1** 10:00-12:00 韓文課	**2** 10:00-12:00 韓文課 12:10 跟Linda小姐 吃午餐	**3** 10:00-12:00 韓文課 15:00 明洞電影院	**4** 10:00-12:00 韓文課	**5**
6 11:00 游泳教室	**7** 10:00-12:00 韓文課 14:00 美容院	**8** 10:00-12:00 韓文課	**9** 10:00-12:00 韓文課 12:10 跟Linda小姐 吃午餐	**10** 10:00-12:00 韓文課	**11** 10:00-12:00 韓文課	**12**

解題 ① 주중에는 오전에 한국어 수업이 있습니다.

週間上午有韓文課。 相符 → 週一到週五10點到12點都有韓文課。

② 일주일에 한 번씩 수영을 배우러 갑니다.

一個禮拜去學一次游泳。 相符 → 星期日去參加游泳教室。

❸ 주말에는 밖에 나가지 않습니다.

週末不出門。 不符 → 星期日出門。

④ 수요일에는 수업이 끝난 후에 린다 씨와 점심을 먹기로 했습니다.

星期三和Linda小姐約好在下課後一起吃午餐。 相符 → 星期三中午和Linda小姐一起吃午餐。

答案 ③ 주말에는 밖에 나가지 않습니다. 週末不出門。

❗關鍵語彙：
- 한국어 韓國語
- 오전 上午
- 일주일 一個星期
- 한 번 一次
- 수요일 星期三
- 점심을 먹다 吃午餐
- 주중 週間 ↔ 주말 週末
- 수업 上課
- 수영을 배우다 學游泳
- 밖에 나가다 出門
- 수업이 끝나다 下課

❗關鍵文法：
- V+(으)러 가다 去做～
- V+기로 하다 決定好要做～
- V+(으)ㄴ 후에 做～之後

※ [43~45] **다음의 내용과 같은 것을 고르십시오.** 請選出和下列短文內容一致的選項。

43. (3점)(3分)

오늘은 토요일이라서 늦게까지 잤습니다. 옛날에는 토요일에 출근했습니다. 하지만 이제는 토요일과 일요일이 휴일이 되었기 때문에 출근하지 않아도 됩니다.

因為今天是星期六，所以睡到很晚。以前星期六要上班。但現在星期六和星期日變成假日，所以不用上班。

解題 ① 주말에도 회사에 갑니다.

週末也去公司上班。 不符 → 現在星期六和星期日變成假日，不用上班。

❷ 지금은 일주일에 5일만 출근하면 됩니다.

現在一週只要上5天班即可。 相符 → 週末不上班，週間五日要上班。

③ 어제 늦게 잤습니다.

昨天晚睡了。 不符 → 沒提到。

④ 옛날에도 토요일에 쉬었습니다.

星期六從以前就休息。 不符 → 以前星期六要上班。

答案 ② 지금은 일주일에 5일만 출근하면 됩니다.

現在一週只要5天上班即可。

❗關鍵語彙： 토요일 星期六　일요일 星期日
늦게까지 到很晚　자다 睡覺
옛날 以前 ↔ 이제 如今　출근하다 上班
휴일 假日

❗關鍵文法： N이/가 되다 成為～　A；V+기 때문에 因為～
A；V+지 않아도 되다 不用～　N까지 到N
A；V+(으)면 되다 ～即可

44. (2점) (2分)

어제 은행에 가서 달러를 원으로 바꾸고 통장을 만들었습니다. 현금 카드도 만들었습니다. 신청서에 이름과 주소, 비밀 번호를 쓰고 서명을 했습니다. 昨天去銀行，把美元換成了韓元後開了戶。也辦了一張現金卡。在申請書上填寫了姓名、地址及密碼，然後簽了名。

解題 ❶ 통장을 만들려면 신청서를 써야 합니다.

要開戶就要寫申請書。 相符

② 신청서에 사는 곳을 쓰지 않아도 괜찮습니다.

申請書上不寫住處也沒關係。 不符 → 要寫地址、姓名、密碼等資料。

③ 돈을 바꾸기 위해서 통장을 만들었습니다.

為了換錢而開戶 不符 → 先換錢才開的戶。

④ 통장과 현금 카드를 만들 때 도장이 꼭 필요합니다.

開戶及辦現金卡的時候一定要有印章。 不符 → 不一定要用印章，可以簽名就好。

答案 ① 통장을 만들려면 신청서를 써야 합니다. 要開戶就要寫申請書。

❗關鍵語彙： 은행 銀行　바꾸다 換　통장을 만들다 開戶
신청서 申請書　이름 姓名　주소 住址
비밀 번호 密碼　서명을 하다 簽名　도장 印章

❗關鍵文法： V+기 위해서 為了～　N에 가서 去N，然後在那裡～
V+(으)려면 若要做～的話　A；V+(으)ㄹ 때 ～的時候
A；V+지 않아도 괜찮다 不做～也沒關係

45. (3점) (3分)

감기에 걸렸을 때는 따뜻한 물을 많이 마시고 과일을 먹는 것이 좋습니다. 또 잠을 많이 자고 충분히 쉬어야 합니다. 여름에는 날씨가 더워도 에어컨을 오래 켜지 않는 것이 좋고 밤에는 창문을 닫고 자는 것이 빨리 낫는 방법입니다. 感冒的時候，最好多喝熱水和吃水果。而且要多睡覺充分休息。夏天即使天氣熱，冷氣還是不要開太久比較好，晚上睡前要關窗戶，這就是快速治好的方法。

解題 ① 여름에 감기에 걸리면 시원한 물을 자주 마시면 됩니다.

夏天感冒的話，常喝冰涼的水就好。 不符 → 要喝熱水。

② 여름에는 덥기 때문에 밤에 창문을 열어도 괜찮습니다.

夏天因為很熱，晚上開窗戶也沒關係。 不符 → 關窗戶比較好。

③ 감기에 걸리면 많이 먹어야 합니다.

感冒的話要多吃。 不符 → 沒有說要多吃，只說要多喝熱水。

❹ 충분히 쉬는 것이 감기에 좋습니다.

充分休息對感冒好。 相符

答案 ④ 충분히 쉬는 것이 감기에 좋습니다. 充分休息對感冒好。

❗關鍵語彙： 감기에 걸리다 感冒
따뜻한 물 熱水 ↔ 시원한 물 冰水
잠을 자다 睡覺　　충분히 쉬다 充分休息
여름 夏天　　날씨가 덥다 天氣熱
에어컨을 켜다 開冷氣　　밤 晚上
창문을 닫다 關窗 ↔ 창문을 열다 開窗
낫다 治好、好起來　　방법 方法

❗關鍵文法： A；V+(으)면 若～的話　　V+아/어/여야 하다 應該要做～
A；V+아/어/여도 即使～還是　　V+는 것이 좋다 最好做～
V+(으)면 되다 做～即可　　N에 좋다 對N好

※ [46~48] **다음을 읽고 중심 생각을 고르십시오.** 請閱讀下列短文並選出文章的主旨。

46. (3점) (3分)

> 제 취미는 농구입니다. 주말마다 친구들과 체육관에서 농구를 합니다. 다음 주에는 농구 경기를 보러 갈 겁니다.
>
> 我的興趣是籃球。每個週末我都和朋友們在體育館打籃球。下星期要去看籃球賽。

① 친구들과 농구를 하면 재미있습니다. 和朋友們打籃球很有趣。

② 주말마다 친구들과 농구를 할 것입니다. 每個週末都要和朋友打籃球。

❸ 저는 농구를 좋아합니다. 我喜歡籃球。

④ 농구 경기를 보고 싶습니다. 想看籃球賽。

解題 短文主旨是第一句，喜歡的事才可以當成興趣，後面兩句為說明從事與籃球相關的活動。

答案 ③ 저는 농구를 좋아합니다. 我喜歡籃球。

❗關鍵語彙：취미 興趣　　농구하다 打籃球
주말 週末　　농구 경기를 보다 看籃球賽

❗關鍵文法：V+(으)ㄹ 것이다 要做～　　V+(으)러 가다 去做～
V+고 싶다 想做～　　N마다 每個N

47. (3점) (3分)

며칠 동안 날씨가 춥습니다. 계속 집에만 있으니까 몸이 별로 좋지 않습니다. 내일은 추워도 나가려고 합니다.

連續幾天天氣很冷。因為一直只待在家裡，身體不太舒服。打算明天就算冷，還是要出去。

① 요즘 날씨가 춥습니다. 最近天氣很冷。

② 집에 있으면 몸이 좋지 않습니다. 待在家裡，身體不太舒服。

❸ 춥지만 밖에 나가고 싶습니다. 雖然冷，但還是想出去。

④ 나가는 것을 좋아합니다. 喜歡出去。

解題 短文主旨是最後一句，天氣雖然冷，但還是想要出去。前面二句敘述近況，最後一句才是重點。

答案 ③ 춥지만 밖에 나가고 싶습니다. 雖然冷，但還是想出去。

❗關鍵語彙：며칠 동안 連續幾天　　날씨가 춥다 天氣冷
집에만 있다 只待在家　　나가다 出去

❗關鍵文法：별로 ～지 않다 不太～　　A；V+지만 雖然～
V+(으)려고 하다 打算做～　　V+아/어/여도 就算～、即使～

48. (2점) (2分)

저는 다음 주에 먼 곳으로 이사를 갑니다. 저는 이사 가는 것이 싫습니다. 친구들과 헤어져야 하기 때문입니다. 我下星期要搬到很遠的地方。我討厭搬家。因為要和朋友們分開。

① 제 친구가 다음 주에 이사를 갑니다.

我朋友下星期要搬家。 不符 → 是我要搬家，不是朋友。

② 저는 빨리 먼 곳으로 이사 가고 싶습니다.

我想趕快搬到很遠的地方。 不符 → 我討厭搬家。

❸ 저는 친구들과 헤어지기 싫어서 이사 가고 싶지 않습니다.

我不想和朋友們分開，所以不想搬家。 相符 → 我討厭搬家。因為要和朋友們分開。

④ 저는 새로운 집으로 이사했습니다.

我搬到新家了。 不符 → 我下星期要搬家。

解題 搬家要和朋友分開，短文敘述捨不得和朋友分開的心情。

答案 ③ 저는 친구들과 헤어지기 싫어서 이사 가고 싶지 않습니다.

我不想和朋友們分開， 所以不想搬家。

❗關鍵語彙： 다음 주 下星期　　이사 가다 搬家

싫다 討厭　　헤어지다 分開

새로운 집 新家　　먼 곳 遠處

❗關鍵文法： N(으)로 가다 往N去

A；V+기 싫다 不想做～

A；V+기 때문이다 因為～

V+는 것 做～的

※ [49~50] **다음을 읽고 물음에 답하십시오. (각 2점)** 請閱讀以下短文並回答問題。（各2分）

지난주에 중학교 때 친구들과 선생님을 만났습니다. 졸업한지 오래돼서 얼굴을 (㉠ 못 알아볼까 봐) 조금 걱정됐습니다. 하지만 친구들을 만났을 때 바로 기억이 났습니다. 선생님도 옛날과 많이 달라지지 않았습니다. 너무 반가웠습니다.

上星期和國中朋友們及老師見面。由於畢業已經很久，有點擔心（㉠ 怕認不出來）他們。但是和朋友們見面的時候，馬上就想起來了。老師也和以前沒有相差很多。能和他們見面非常高興。

49. ㉠에 들어갈 알맞은 말을 고르십시오. 請選出適合填入㉠ 的話。

❶ 못 알아볼까 봐 怕認不出來

② 못 알아보면 若認不出來的話

③ 잘 아니까 因為很了解

④ 기억할 수 있어서 因為記得住

答案 ① 못 알아볼까 봐 怕認不出來

50. 이 글의 내용과 같은 것을 고르십시오. 請選出和文章內容一致的選項。

解題 ① 선생님의 모습이 많이 바뀌었습니다.

老師的樣子變很多。 不符 → 老師和以前沒相差很多。

❷ 친구들을 만났을 때 금방 알아볼 수 있었습니다.

和朋友們見面時，馬上就能認出來。 相符

③ 얼마 전에 졸업해서 얼굴을 기억하기 쉬웠습니다.

因為剛畢業沒多久，所以容易記得住同學的臉。 不符 → 畢業已經很久了。

④ 중학교를 졸업한 후에도 친구들을 자주 만났습니다.

國中畢業後，還是常和朋友們見面。 不符 → 短文說，怕認不出朋友，表示畢業後沒和他們見過面。

答案 ② 친구들을 만났을 때 금방 알아볼 수 있었습니다.

和朋友們見面時，馬上就能認出來。

關鍵語彙：

중학교 國中
오래되다 很久
못 알아보다 認不出來
기억이 나다 記起來
옛날 以前
바뀌다 改變
졸업하다 畢業
얼굴 臉孔
친구를 만나다 遇見朋友
바로 = 금방 馬上
달라지다 變不同
얼마 전에 不久前

關鍵文法：

V+(으)ㄴ지 做～後（多久的時間）
A+아/어/여지다 變得～
V+(으)ㄹ 수 있다 可以做～
A；V+(으)ㄹ까 봐 擔心會～
A；V+(으)면 若～的話
A；V+(으)니까 因為～所以

※ [51~52] **다음을 읽고 물음에 답하십시오.** 請閱讀以下短文並回答問題。

학생들이나 직장인들 중에는 아침을 먹지 않는 사람이 많습니다. 하지만 아침을 먹으면 공부나 일에 더 집중할 수 있습니다. 뇌가 깨어나서 활동하기 때문입니다. 또한, 아침을 안 먹으면 점심에 갑자기 많은 양의 음식을 먹게 됩니다. 그러면 쉽게 (㉠ 살이 찌기 때문에) 다이어트에도 도움이 되지 않습니다.

學生們或上班族中有很多人不吃早餐。但吃早餐可以更專心念書或工作，因為腦部會醒來活動。而且，不吃早餐，中午就會突然吃進大量的食物。這樣一來，（㉠ 因為（容易）變胖），對減肥也沒有幫助。

51. ㉠에 들어갈 알맞은 말을 고르십시오. (3점) 請選出適合填入㉠ 的話。（3分）

① 살이 찌지 않아서 因為胖不起來
② 살이 쪄도 即使變胖
❸ 살이 찌기 때문에 因為變胖
④ 살이 찐 후에 變胖後

解題 一下子吃進大量的食物就容易長胖，因此對減肥也沒有益處。

答案 ③ 살이 찌기 때문에 因為變胖

52. 무엇에 대한 이야기인지 맞는 것을 고르십시오. (2점)

是關於什麼的敘述，請選出適合的選項。（2分）

❶ 아침을 먹어야 하는 이유 應該要吃早餐的理由

② 점심을 많이 먹는 이유 午餐吃很多的理由

③ 아침에 뇌가 활동하는 방법 早上腦部活動的方法

④ 다이어트에 도움이 되는 방법 對減肥有益的方法

解題 短文敘述早餐對專注力有益，因此一定要吃早餐。

答案 ① 아침을 먹어야 하는 이유 應該要吃早餐的理由

❗關鍵語彙：

학생 學生	직장인 上班族	아침을 먹다 吃早餐
집중하다 專心、集中	뇌 頭腦	깨어나다 醒來
활동하다 活動	살이 찌다 變胖	다이어트 減肥
점심 午餐	양 量	도움이 되다 有幫助

❗關鍵文法：

A；V+기 때문이다 因為～	V+(으)ㄹ 수 있다 可以做～
A；V+게 되다 變得～	A；V+아/어/여도 即使～還是
A；V+아/어/여서 因為～	V+(으)ㄴ 후에 做～後

※ [53~54] **다음을 읽고 물음에 답하십시오.** 請閱讀以下短文並回答問題。

제 누나는 예쁘고 성격도 활발해서 사람을 쉽게 사귀는 편입니다. 누나를 좋아하는 남자가 많습니다. 하지만 누나는 다 (㉠ 마음에 들지 않는) 것 같습니다. 아무와도 사귀지 않습니다. 누나의 이상형은 외모도 성격도 직장도 전부 괜찮은 남자입니다. 누나는 아마 결혼하기 어려울 것 같습니다.

我的姐姐不僅漂亮，個性也很活潑，很容易與人打交道。有很多男生喜歡她，但姐姐好像都（㉠ 不喜歡）。她不和任何人交往。姐姐的理想型是外貌、個性、工作都不錯的男生。我想她可能很難結婚。

53. ㉠에 들어갈 알맞은 말을 고르십시오. (2점) 請選出適合填入㉠ 的話。（2分）

① 마음에 들지 않아서 因為不喜歡

② 마음에 들지 않으면 若不喜歡

③ 마음에 들지 않으니까 因為不喜歡

❹ 마음에 들지 않는 不喜歡

解題 這一題要知道適合的文法。「好像」不太喜歡的文法要使用「(으)ㄴ/는 것 같다」。

答案 ④ 마음에 들지 않는 不喜歡

54. 이 글의 내용과 같은 것을 고르십시오. (3점) 請選出和文章內容一致的選項。（3分）

解題 ① 누나는 조용하고 보통 혼자 있습니다.

姐姐安靜且話不多。 不符 → 姐姐她個性活潑，容易與人打交道。

② 누나는 여러 남자들과 사귀었습니다.

姐姐和很多男生交往過。 不符 → 姐姐不和任何人交往。

❸ 누나의 이상형에 맞는 남자를 찾기 어렵습니다.

不容易找到符合姐姐理想型的男生。 相符 → 姐姐可能很難結婚，表示很難遇到理想的男生。

④ 누나에게 성격이 좋은 남자가 제일 중요합니다.

對姐姐來說，個性不錯的男生最重要。 不符 → 外表、個性、職場對她都很重要。

答案 ③ 누나의 이상형에 맞는 남자를 찾기 어렵습니다.

不容易找到符合姐姐理想型的男生。

❗關鍵語彙： 누나 姐姐（男生稱呼姐姐）

성격 個性　활발하다 活潑　사람을 사귀다 交友

마음에 들다 喜歡　아무와도 和任何人都　이상형 理想型

외모 外貌　직장 職場　괜찮다 不錯

결혼하다 結婚　어렵다 難 ↔ 쉽다 容易、簡單

❗關鍵文法： A；V+(으)ㄴ/는 편이다 偏向是～

A；V+(으)ㄴ/는 것 같다 好像～

A；V+지 않다 不～

V+기 어렵다 難以做～

※ [55~56] **다음을 읽고 물음에 답하십시오.** 請閱讀以下短文並回答問題。

> 오늘은 제일 친한 친구의 결혼식 날이었습니다. 결혼식은 12시였습니다. (㉠ 그렇지만) 저는 아침 일찍 친구가 있는 곳으로 갔습니다. 친구를 도와 주고 싶었기 때문입니다. 결혼식장에는 사람들이 많아서 시끄러웠습니다. 결혼식은 오래 걸리지 않았습니다. 결혼식이 끝나고 신랑 신부는 친구들과 기념 사진을 찍었습니다. 제 친구가 행복하게 살았으면 좋겠습니다.
>
> 今天是我最好的朋友結婚的日子。婚禮是12點。（㉠ 但是）我早上很早就去了朋友那裡。因為我想幫忙朋友。婚禮會場有很多人所以很吵。婚禮沒花很久時間。婚禮結束後，新郎新娘和朋友們拍了紀念照。我的朋友若能過得幸福就好了。

55. ㉠에 들어갈 알맞은 말을 고르십시오. (2점) 請選出適合填入㉠ 的話。（2分）

① 그리고 還有

② 그래서 因此

❸ 그렇지만 但是

④ 그러니까 因此

解題 婚禮十二點開始，但我提早到了，因為想幫朋友的忙。

答案 ③ 그렇지만 但是

56. 이 글의 내용과 같은 것을 고르십시오. (3점) 請選出和文章內容一致的選項。（3分）

解題 ① 결혼식 전에 신랑 신부와 기념 촬영이 있었습니다.

婚禮前有和新郎新娘拍紀念照。 不符 → 婚禮結束後拍照。

② 결혼식장은 조용한 분위기였습니다.

婚禮會場為安靜的氛圍。 不符 → 人很多，婚禮會場很吵。

❸ 저는 아침 일찍 신부를 만났습니다.

我早上很早和新娘見了面。 相符

④ 결혼식이 오래 걸렸습니다.

婚禮花了很久時間。 不符 → 婚禮沒花很久時間。

答案 ③ 저는 아침 일찍 신부를 만났습니다.

我早上很早和新娘見了面。

❶ 關鍵語彙： 친한 친구 好朋友
결혼식 婚禮
도와주다 幫忙
도착하다 到達
시끄럽다 吵雜
오래 걸리다 花很久（時間）
신랑 신부 新郎新娘
행복하다 幸福
결혼식 날 結婚的日子
12시 12點
일찍 提早
결혼식장 婚禮會場
사람이 많다 人多
끝나다 結束
기념 사진을 찍다 拍紀念照
살다 生活

❶ 關鍵文法： A；V+았/었/였으면 좋겠다 若能～就好了
V+고 做～後
A；V+지 않다 不～
A；V+아/어/여서 因為～

※ [57~58] **다음을 순서대로 맞게 나열한 것을 고르십시오.** 請選出排列順序正確的選項。

57. (3점)（3分）

(가) 요즘 시험 기간이었지만 그래도 컴퓨터 게임을 계속 했습니다.
最近雖然是考試期間，但我還是繼續打電動。
(나) 앞으로는 컴퓨터 게임을 하지 않아야겠습니다.
以後不打電動了。
(다) 저는 컴퓨터 게임을 좋아해서 매일 게임을 합니다.
因為我喜歡電動，所以每天打電動。
(라) 결국 공부를 많이 하지 않았기 때문에 시험을 못 봤습니다.
最後因為書念得太少的關係，考試考得很差。

❶ (다)-(가)-(라)-(나)　② (다)-(가)-(나)-(라)
③ (가)-(라)-(다)-(나)　④ (가)-(다)-(나)-(라)

解題 每天打電動，結果考試考得不理想，決定以後不要再打電動的內容。「앞으로는- 아/어/여야겠습니다」表示對往後的決心，要放在文章的最後。

答案 ① (다)-(가)-(라)-(나)

❶ **關鍵語彙：** 시험 기간 考試期間　컴퓨터 게임 電動、電腦遊戲
게임을 하다 玩遊戲　시험을 못 보다 考試考得不理想
앞으로는 以後

❶ **關鍵文法：** V＋아/어/여야겠다 必須要～才行
A；V＋았/었/였기 때문에
因為～（「A；V＋기 때문에」的過去式用法）

58. (2점) (2分)

(가) 그래서 아쉽지만 내일 다른 원피스로 바꾸러 가려고 합니다.
所以雖然有點捨不得，但打算明天去換別的洋裝。
(나) 그 원피스는 조금 비쌌지만, 색깔이 정말 마음에 들었습니다.
那件洋裝有點貴，但很喜歡它的顏色。
(다) 그런데 집에 와서 입어 보니까 생각보다 너무 짧았습니다.
但是回家試穿，比我想像得短很多。
(라) 오늘 낮에 옷 가게에 가서 원피스를 샀습니다.
今天白天去服飾店買了洋裝。

① (다)-(라)-(가)-(나)　❷ (라)-(나)-(다)-(가)
③ (다)-(가)-(라)-(나)　④ (라)-(다)-(나)-(가)

解題 這一題要注意「**오늘 낮**」（今天白天）和「**내일**」（明天）的時間順序，以及「**그런데**」（但是）和「**그래서**」（所以）這二個連接副詞。「**오늘 낮**」（今天白天）要比「**내일**」（明天）為先。還有「**그래서**」（所以）通常放在「**그런데**」（但是）之後，因為「**그래서**」（所以）常常表示事情的結果或結論。

答案 ② (라)-(나)-(다)-(가)

❶ **關鍵語彙：** 원피스 洋裝　마음에 들다 喜歡　그래서 所以
색깔 顏色　바꾸다 更換　사다 買
백화점 百貨公司　오늘 낮 今天白天　내일 明天
입어 보다 試穿　짧다 短

> ❗**關鍵文法：** V+(으)러 가다 去做～　V+(으)려고 하다 打算做～
> N에 가서 去N，然後在那裡～　V+아/어/여 보다 試著做～
> A；V+지만 雖然～　N보다 比起N

※ [59~60] **다음을 읽고 물음에 답하십시오.** 請閱讀以下短文並回答問題。

> 지난주 일요일에 이사를 했습니다. 이사가 힘들었지만 다행히 친구들이 와서 도와줬습니다. (㉠ ×) 무거운 짐을 옮겨 주고 이사가 끝난 후에도 밤늦게까지 남아서 정리를 해 주었습니다. (㉡ ×) 저는 친구들이 너무 고마웠습니다. (㉢ ×) 가끔 혼자서 모든 것을 해야 하는 것을 생각하면 외롭기도 합니다. (㉣ 하지만 오늘 소중한 친구들 덕분에 다시 힘이 났습니다.)
>
> 上星期日搬了家。雖然搬家很辛苦，可是幸好朋友們來幫了我的忙。（㉠ ×）他們幫忙搬重的行李，搬完後也留下來到很晚幫忙我整理。（㉡ ×）我非常感謝朋友們。（㉢ ×）偶爾想到所有的事情都要自己做就感到孤單。（㉣ 但是今天托珍貴的朋友們的福，重新又有力量了。）

59. 다음 문장이 들어갈 곳을 고르십시오. (2점) 請選出下列句子填入的地方。（2分）

> 하지만 오늘 소중한 친구들 덕분에 다시 힘이 났습니다.
> 但是今天托珍貴的朋友們的福，重新又有力量了。

① ㉠　② ㉡　③ ㉢　❹ ㉣

解題 要留意「하지만」（但是）這個連接副詞。有「하지만」，表示前面應該是敘述沒有力氣的內容。

答案 ④ ㉣

60. 이 글의 내용과 같은 것을 고르십시오. (3점) 請選出和文章內容一致的選項。（3分）

解題 ① 무거운 짐은 혼자 옮겼습니다.
重的行李自己搬了。 不符 → 朋友們幫忙搬了重的行李。

❷ 고마운 친구들이 있어서 기운이 났습니다.
有很感謝的朋友們，我又有力量了。 相符 → 托朋友們的福，重新又有力量了。

③ 친구들은 이사가 끝나고 돌아갔습니다.

朋友們搬完家就回去了。 不符 → 留下來幫忙整理了。

④ 이삿짐 정리가 일찍 끝났습니다.

搬家行李整理提早結束了。 不符 → 朋友們留到很晚幫忙整理。

答案 ② 고마운 친구들이 있어서 기운이 났습니다.

有很感謝的朋友們，我又有力量了。

❗ 關鍵語彙：

이사하다 搬家	힘들다 辛苦	다행히 所幸
도와주다 幫忙	무겁다 重	짐 東西
남다 留下來	옮겨 주다 幫忙搬	이사가 끝나다 搬完家
밤늦게까지 到很晚	정리하다 整理	고맙다 感謝
혼자서 自己一個人	외롭다 孤單	소중하다 珍貴
덕분에 托～福	힘이 나다 產生力量	

❗ 關鍵文法： V+(으)ㄴ 후에 做～後　　V+는 것 （動詞的名詞形）

A；V+기도 하다 也會～

※ **[61~62] 다음을 읽고 물음에 답하십시오. (각 2점)** 請閱讀以下短文並回答問題。（各2分）

> 남산공원은 4월부터 주말마다 '남산 산책여행' 프로그램을 시작하기로 했습니다. 바로 남산을 걸어 올라가는 프로그램인데 (㉠ 올라가는 동안) 안내인이 남산의 역사와 문화에 대해서 설명해 줍니다. 또 남산의 나무, 꽃, 새에 대해서도 설명해 줄 예정입니다. 서울 시민은 누구든지 무료로 참여할 수 있습니다. 참여를 원하는 사람은 이 프로그램 홈페이지에서 온라인으로 신청하면 됩니다.
>
> 南山公園決定從4月份起，每週末開始「南山散步旅行」節目。就是走上南山的節目，（㉠ 上去的路上）解說員說明南山的歷史與文化。也預計對南山的樹木、花、鳥進行說明。只要是首爾市民任何人都可以免費參與。有意參加者，在節目的網頁用線上報名即可。

61. ㉠에 들어갈 알맞은 말을 고르십시오. 請選出適合填入㉠ 的話。

① 올라가 봐서 上去看看之後　　② 올라가거나 上去或者

❸ 올라가는 동안 上去的路上　　④ 올라가기 때문에 因為上去

解題 這一題要選出適合的文法。從前後句子來看，應該要加「올라가는 동안」（上去的路上）或「올라갔을 때」（上去的時候）等。

答案 ③ 올라가는 동안 上去的路上

62. 이 글의 내용과 같은 것을 고르십시오. 請選出和文章內容一致的選項。

解題 ① 4월부터는 평일에도 안내인의 설명을 들을 수 있습니다.
從4月起，平日也可以聽解說員的說明。 不符 → 只有週末才有這個節目。

❷ 이 프로그램에 참여하면 남산에 대해 많이 이해할 수 있습니다.
若參加這個節目，對南山可以了解到很多。 相符 → 解說員會對南山的各方面進行說明。

③ 서울에 사는 사람은 신청비가 쌉니다.
住在首爾的人報名費很便宜。 不符 → 首爾市民免費參與。

④ 이 프로그램에 참여하고 싶으면 전화로도 신청할 수 있습니다.
想參加這個節目的話，也能用電話報名。 不符 → 可以在網路上報名，但並沒有提及可以用電話報名

答案 ② 이 프로그램에 참여하면 남산에 대해 많이 이해할 수 있습니다.
若參加這個節目，對南山可以了解到很多。

❗關鍵語彙：
남산공원 南山公園　주말 週末　프로그램 節目
시작하다 開始　안내인 解說員、導遊　걸어 올라가다 走上去
역사 歷史　문화 文化　설명하다 說明
나무 樹　꽃 花　새 鳥
시민 市民　무료 免費　참여하다 參與
온라인으로 신청하다 線上報名　홈페이지 網頁

❗關鍵文法：
V＋기로 하다 決定做～
V＋(으)ㄹ 예정이다 預定做～、預計做～
V＋(으)면 되다 做～即可
N마다 每個N
V＋아/어/여 주다 幫忙做～

※ [63~64] **다음을 읽고 물음에 답하십시오.** 請閱讀以下短文並回答問題。

나만의 공간

최정성 (jungsungchoi@nabor.co.kr)

자기만의 공간을 가지고 싶지 않으십니까?
원룸이 나왔습니다.
집 앞에 공원이 있어서 전망이 좋고 공기도 좋습니다.
지하철역에서 걸어서 5분,
버스정류장에서 걸어서 3분 거리에 있습니다.
근처에 편의점과 은행이 있어서 편리합니다.
보증금 4천만 원에 월 50만 원입니다.
이메일로 연락해 주십시오.

專屬我的空間

崔正成 (jungsungchoi@nabor.co.kr)

想不想要專屬自己的空間呢？
這裡有套房。
家前面有公園，景觀和空氣都很好。
離捷運站走路5分鐘，
離公車站走路3分鐘距離。
附近有便利商店及銀行，生活機能方便。
押金4千萬韓元，月租50萬韓元。
請用電子信箱連絡我。

63. 최정성 씨는 왜 이 글을 썼습니까? (2점) 崔正成先生為什麼要寫這篇文章？（2分）

① 원룸에 대해 알고 싶어서 想對套房有所了解

❷ 원룸을 빌려 주려고 想要租借套房

③ 원룸에 초대하려고 要招待人來套房

④ 원룸을 찾고 싶어서 想找套房

解題 說明了套房周圍環境及房租，由此可以知道，這個人要出租套房。

答案 ② 원룸을 빌려 주려고 想要租借套房

64. 이 글의 내용과 같은 것을 고르십시오. (3점) 請選出和文章內容一致的選項。（3分）

解題 ① 무료로 방을 빌려 주는 광고입니다.

是免費出借房間的廣告。 不符 → 有提到訂金及月租費。

② 돈을 찾으려면 멀리 나가야 합니다.

想要領錢的話需要走很遠。 不符 → 附近有銀行，領錢很方便。

❸ 교통이 편리해서 살기 좋습니다.

交通方便，很適合居住。 相符 → 離捷運站和公車站都很近。

④ 같은 방을 쓰는 사람과 좋은 친구가 될 수 있습니다.

可以和一起使用房間的人成為好朋友。 不符 → 是專屬自己的空間，只讓一人入住。

答案 ③ 교통이 편리해서 살기 좋습니다. 交通方便，很適合居住。

❗關鍵語彙：

공간 空間	자기 自己	가지다 擁有
원룸 套房	나오다 出現、出來	집 앞 家前面
공원 公園	전망 景觀	지하철역 捷運站
버스 정류장 公車站	걸어서 用走的去	거리 距離
근처 附近	은행 銀行	편리하다 方便
보증금 押金、保證金	이메일 電子信箱	연락하다 連絡

❗關鍵文法：

N만 只有N	V+고 싶다 想做～
N（場所）에서 離N（場所）	N（場所）에 있다 位於N（場所）
N(으)로 用N來	

※ [65~66] **다음을 읽고 물음에 답하십시오.** 請閱讀以下短文並回答問題。

> 제 고향은 서울입니다. 서울은 한국의 수도이고 인구는 약 천만 명을 넘습니다. 한국의 정치, 경제, 문화의 중심입니다. 도시 곳곳에 각종 박물관, 도서관, 공원, 체육관이 많습니다. 관광객을 위한 호텔이나 가게들도 많습니다. 사람들이 (㉠ 친절하기 때문에) 여행하기 좋은 곳입니다. 서울에서는 매년 5월마다 서울문화축제가 열립니다. 시민들이 함께 즐기는 이 축제는 활기찬 서울의 모습을 전세계에 전달합니다.
>
> 我的家鄉是首爾。首爾是韓國的首都，人口約超過一千萬人。是韓國政治、經濟、文化的中心。都市到處都有很多各式各樣的博物館、圖書館、公園、體育館。也有許多因應觀光客的飯店及店家。人們（㉠ 因為很親切）是很好旅遊的地方。首爾每年5月會舉辦首爾文化慶典。市民們一起享受的這個慶典，將首爾充滿活力的形象傳達給全世界。

65. ㉠에 들어갈 알맞은 말을 고르십시오. (2점) 請選出適合填入㉠ 的話。（2分）

① 친절하거나 親切或者　　② 친절할 수 있으면 若能親切的話

③ 친절하기는 하지만 雖然的確很親切　　❹ 친절하기 때문에 因為很親切

解題 ㉠後面說「여행하기 좋은 곳입니다」（是很好旅遊的地方），由此可以猜測㉠的意思是「사람들이 친절하기 때문에」（因為人們很親切）。

答案 ④ 친절하기 때문에 因為很親切

66. 이 글의 내용과 같은 것을 고르십시오. (3점) 請選出和文章內容一致的選項。（3分）

解題 ① 서울을 여행할 때 방을 구하기 쉽지 않습니다.

在首爾旅行的時候，不好找房間。 不符 → 有很多飯店，可以容易找到房間。

② 시민들은 바빠서 축제에 참가할 시간이 없습니다.

市民們很忙碌，因此沒時間參加慶典。 不符 → 是市民們一起享受的慶典。

③ 지금 서울에 천만 명이 안 되는 사람들이 살고 있습니다.

現在首爾居住人口不到一千萬人。 不符 → 約超過一千萬人口居住。

❹ 서울문화축제에서 서울의 활동적인 모습을 볼 수 있습니다.

首爾文化慶典可以看到首爾活潑的形象。 相符 → 可以將充滿活力的形象傳達給全世界。

答案 ④ 서울문화축제에서 서울의 활동적인 모습을 볼 수 있습니다.

首爾文化慶典可以看到首爾活潑的形象。

❗**關鍵語彙：** 인구 人口　넘다 超過　중심 中心
도시 都市　관광객 觀光客　호텔 飯店
많다 多　여행하다 旅行　매년 每年
축제 慶典　문화 文化　열리다 舉行
시민 市民　즐기다 享受　활기차다 充滿活力
전달하다 傳達　전세계 全世界　활동적이다 活潑的
시간이 없다 沒時間

❗**關鍵文法：** N＋을/를 위한 為N的　N＋(이)나 N或者
A；V＋거나 A；V或者　N＋마다 每個N
V＋기 좋다 很好做～　A；V＋기 쉽다 很容易做～
A；V＋기 때문에 因為～　V＋고 있다 正在做～
A；V＋기는 하다 的確是～　A；V＋지만 雖然～

※ [67~68] **다음을 읽고 물음에 답하십시오. (각 3점)** 請閱讀以下短文並回答問題。（各3分）

휴대전화 덕분에 생활이 편리해졌습니다. 사람들은 휴대전화로 인터넷에서 정보를 검색하거나 다른 사람과 돈을 내지 않고 대화를 합니다. 텔레비전 프로그램이나 영화도 볼 수 있고 게임도 할 수 있습니다. 휴대전화가 가지고 있는 다양한 기능들은 (㉠ 생활에 많은 도움을 줍니다). 하지만 휴대전화가 항상 좋은 것만은 아닙니다. 휴대전화 중독에 걸린 사람도 많고 어린이들이 유해한 정보나 사이트를 보게 될 수도 있습니다. 휴대전화 때문에 공부에 방해를 받는 학생들도 많습니다. 휴대전화의 좋은 점과 나쁜 점을 잘 이해하고 활용해야겠습니다.

手機讓生活變很方便。人們用手機上網查資訊，或不用付錢即能與別人對話。也可以看電視節目或電影，也可以玩遊戲。手機擁有很多功能（㉠ 生活上帶來很多幫助）。但是手機不一定只有好處。有很多手機成癮的人，兒童也可能因此看到有害的資訊或網站。也有不少學生因為手機學業受到干擾。應該要好好了解手機的好處及壞處來善用它。

67. ㉠에 들어갈 알맞은 말을 고르십시오. 請選出適合填入㉠ 的話。

❶ 생활에 많은 도움을 줍니다 生活上帶來很多幫助
② 생활에 어려움을 줍니다 生活上帶來困難
③ 생활을 방해합니다 防礙生活
④ 생활을 복잡하게 합니다 讓生活變複雜

解題 文章前半部說明手機的好處。

答案 ① 생활에 많은 도움을 줍니다. 生活上帶來很多幫助。

68. 이 글의 내용과 같은 것을 고르십시오. 請選出和文章內容一致的選項。

解題 ① 학생들은 휴대전화가 없으면 불안해합니다.

學生沒有手機的話會感到不安。 不符 → 沒提及。

❷ 휴대전화를 잘 사용하면 많은 도움을 얻을 수 있습니다.

若好好使用手機的話，可以得到很多幫助。 相符 → 要了解手機的好處及壞處來善用它。

③ 휴대전화 중독 때문에 휴대전화를 사용하지 않는 것이 좋습니다.

因為手機成癮問題，不要使用手機比較好。 不符 → 要善用它，沒有提及不要使用。

④ 정보를 찾을 때는 휴대전화가 불편합니다.

查資訊的時候，手機不方便。 不符 → 可以用手機上網查資訊，很方便。

答案 ② 휴대전화를 잘 사용하면 많은 도움을 얻을 수 있습니다.

若好好使用手機，可以得到很多幫助。

❗關鍵語彙：

휴대전화 手機
편리해지다 變方便
돈을 내다 付錢
가지고 있다 擁有
기능 功能
중독에 걸리다 上癮、成癮
사이트 網站
좋은 점 好處
활용하다 善用、活用
생활 生活
인터넷 網路
정보를 검색하다 查資訊
다양하다 多樣
도움을 주다 給予幫助
유해한 정보 有害的資訊
방해를 받다 被干擾
나쁜 점 壞處
이해하다 了解

❗關鍵文法：

A+아/어/여지다 變得～
V+(으)ㄹ 수 있다 可以做～
V+아/어/여야겠다 應該做～
V+는 것이 좋다 最好做～
A；V+거나 是A；V或者
N 때문에 因為N
A；V+(으)면 若～的話
V+게 되다 變得～

※ [69~70] **다음을 읽고 물음에 답하십시오. (각 3점)** 請閱讀以下短文並回答問題。（各3分）

> 저는 전통 시장에 자주 가는 편입니다. 전통 시장에서는 신선한 재료를 살 수 있습니다. 신기한 물건들이 많아서 재미있게 구경할 수 있습니다. 물건을 사고 팔 때 (㉠ 싸게 사려고) 깎는 모습을 보면서 사람들 사이의 정을 느끼기도 합니다. 맛있는 음식을 사 먹을 때 특히 즐겁습니다. 그런데 불편한 점도 있습니다. 어떤 가게들은 신용 카드로 계산이 되지 않으니까 현금만 내야 합니다. 신용 카드로 계산할 수 있는 가게들이 더 많이 생기면 좋을 것 같습니다.
>
> 我算是常去傳統市場。傳統市場可以買得到新鮮的材料。因為有很多新奇的東西，所以可以逛得很有趣。買賣東西的時候，看到（㉠ 想要便宜買）而殺價的一幕，也感受到人與人之間的人情味。買好吃的東西吃時特別開心。但也有不方便的地方。有些店家無法使用信用卡結帳，只能付現。若有更多可以使用信用卡結帳的店家出現就好了。

69. ㉠에 들어갈 알맞은 말을 고르십시오. 請選出適合填入㉠ 的話。

① 싸게 보이려고 想要看起來便宜　　② 쌀 것 같아서 好像很便宜

❸ 싸게 사려고 想要便宜買　　④ 싸게 사기로 했지만 雖然決定便宜買

解題 文中說明買東西的時候想要便宜買所以殺價。

答案 ③ 싸게 사려고 想要便宜買

70. 이 글의 내용으로 알 수 있는 것은 무엇입니까? 從這短文的內容可以了解什麼？

解題 ① 전통 시장에서는 값을 깎을 수 없습니다.

傳統市場不可以殺價。 不符 → 買東西的時候想要便宜買所以會殺價。

❷ 신용 카드를 사용할 수 없는 가게들이 있어서 불편할 때도 있습니다.

有些店不能使用信用卡，有時候不方便。 相符 → 有些店不能刷卡結帳。

③ 전통 시장에서 파는 물건들은 모두 생활에서 자주 보는 것들입니다.

傳統市場賣的東西都是生活中常見的。 不符 → 有很多新奇的東西，很有趣。

④ 전통 시장에 값이 싼 물건이 많아서 자주 갑니다.

傳統市場有很多便宜的東西，所以常去。 不符 → 沒提及。

答案 ② 신용 카드를 사용할 수 없는 가게들이 있어서 불편할 때도 있습니다.

有些店不能使用信用卡，有時候不方便。

❗**關鍵語彙**：

전통 시장 傳統市場	재료 材料
신기하다 新奇	물건 東西
구경하다 逛、參觀	깎다 殺（價）
사고 팔다 買賣	모습 光景、樣貌
정을 느끼다 感受到（人）情	즐겁다 愉快
가게 商店	불편한 점 不方便的地方
신용 카드 信用卡	계산 結帳
현금을 내다 付現	생기다 產生

❗**關鍵文法**：

A；V+(으)ㄴ/는 편이다 算是～	V+(으)ㄹ 수 있다 可以做～
V+(으)면서 邊～邊～	V+기도 하다 也會～
A；V+(으)니까 因為～	V+아/어/여야 하다 應該做～
A；V+(으)면 若～的話	A；V+(으)ㄹ 것 같다 可能會～
A；V+게 보이려고 想要看起來～	V+기로 하다 決定做～

第二回

模擬試題＋解答表＋完全解析

한국어능력시험
모의고사 TOPIK I
듣기, 읽기

성명 (Name)	한국어 (Korean)	
	영 어 (English)	

수			험		번			호			
					7						
⓪	⓪	⓪	⓪	⓪		⓪	⓪	⓪	⓪	⓪	⓪
①	①	①	①	①		①	①	①	①	①	①
②	②	②	②	②		②	②	②	②	②	②
③	③	③	③	③		③	③	③	③	③	③
④	④	④	④	④		④	④	④	④	④	④
⑤	⑤	⑤	⑤	⑤		⑤	⑤	⑤	⑤	⑤	⑤
⑥	⑥	⑥	⑥	⑥		⑥	⑥	⑥	⑥	⑥	⑥
⑦	⑦	⑦	⑦	⑦	●	⑦	⑦	⑦	⑦	⑦	⑦
⑧	⑧	⑧	⑧	⑧		⑧	⑧	⑧	⑧	⑧	⑧
⑨	⑨	⑨	⑨	⑨		⑨	⑨	⑨	⑨	⑨	⑨

※결 시 확인란	결시자의 영어 성명 및 수험번호 기재 후 표기	○

※답안지 표기 방법(Marking examples)	
바른 방법(Corret)	바르지 못한 방법(Incorrect)
●	⊘ ⊙ ◐ ⊗ ✖

※위 사항을 지키지 않아 발생하는 불이익은 응시자에게 있습니다.

※감독관 확 인	본인 및 수험번호 표기가 정확한지 확인	(인)

번호	답			란
1	①	②	③	④
2	①	②	③	④
3	①	②	③	④
4	①	②	③	④
5	①	②	③	④
6	①	②	③	④
7	①	②	③	④
8	①	②	③	④
9	①	②	③	④
10	①	②	③	④
11	①	②	③	④
12	①	②	③	④
13	①	②	③	④
14	①	②	③	④
15	①	②	③	④
16	①	②	③	④
17	①	②	③	④
18	①	②	③	④
19	①	②	③	④
20	①	②	③	④

번호	답			란
21	①	②	③	④
22	①	②	③	④
23	①	②	③	④
24	①	②	③	④
25	①	②	③	④
26	①	②	③	④
27	①	②	③	④
28	①	②	③	④
29	①	②	③	④
30	①	②	③	④
31	①	②	③	④
32	①	②	③	④
33	①	②	③	④
34	①	②	③	④
35	①	②	③	④
36	①	②	③	④
37	①	②	③	④
38	①	②	③	④
39	①	②	③	④
40	①	②	③	④

번호	답			란
41	①	②	③	④
42	①	②	③	④
43	①	②	③	④
44	①	②	③	④
45	①	②	③	④
46	①	②	③	④
47	①	②	③	④
48	①	②	③	④
49	①	②	③	④
50	①	②	③	④
51	①	②	③	④
52	①	②	③	④
53	①	②	③	④
54	①	②	③	④
55	①	②	③	④
56	①	②	③	④
57	①	②	③	④
58	①	②	③	④
59	①	②	③	④
60	①	②	③	④

번호	답			란
61	①	②	③	④
62	①	②	③	④
63	①	②	③	④
64	①	②	③	④
65	①	②	③	④
66	①	②	③	④
67	①	②	③	④
68	①	②	③	④
69	①	②	③	④
70	①	②	③	④

TOPIK I 듣기 (1번 ~ 30번)

※ [1~4] **다음을 듣고 〈보기〉와 같이 물음에 맞는 대답을 고르십시오.** MP3 | 32

〈보 기〉

가 : **운동을 해요** ?

나 : ____________________

❶ 네, 운동을 해요.　② 아니요, 운동이에요.

③ 네, 운동이 아니에요.　④ 아니요, 운동을 좋아해요.

1. (4점) MP3 | 33

① 네, 회사에 가요.　② 아니요, 의사예요.

③ 아니요, 집에 있어요.　④ 네, 학생이에요.

2. (4점) MP3 | 34

① 네, 우유가 많아요.　② 네, 우유가 없어요.

③ 아니요, 우유를 사요.　④ 아니요, 우유는 아니에요.

3. (3점) MP3 | 35

① 주말에 만났어요.　② 조금 전에 먹었어요.

③ 가족들하고 갔어요.　④ 서점에서 책을 샀어요.

4. (3점) MP3 | 36

① 오늘 갈 거예요.　② 회사에서 일해요.

③ 지하철을 타고 가요.　④ 버스를 탈 거예요.

※ [5~6] **다음을 듣고 〈보기〉와 같이 이어지는 말을 고르십시오.** MP3 | 37

〈보 기〉

가 : **늦어서 미안해요.**

나 : ______________________.

① 고마워요. ❷ 아니에요.

③ 죄송해요. ④ 부탁해요.

5. (4점) MP3 | 38

① 실례합니다. ② 반가워요.

③ 감사합니다. ④ 안녕히 가세요.

6. (3점) MP3 | 39

① 네, 그런데요. ② 아닌데요.

③ 지금 안 계신데요. ④ 바꿔 드릴까요?

※ [7~10] **여기는 어디입니까? 〈보기〉와 같이 알맞은 것을 고르십시오.** MP3 | 40

〈보 기〉

가 : **며칠 동안 주무실 거예요?**

나 : **11월 5일부터 7일까지요.**

① 공원 ❷ 호텔 ③ 도서관 ④ 기차역

7. (3점) MP3 | 41

① 회사 ② 은행 ③ 미용실 ④ 식당

8. (3점) MP3 | 42

① 백화점 ② 박물관 ③ 약국 ④ 극장

9. (3점) MP3 | 43

① 백화점　　② 서점　　③ 교실　　④ 영화관

10. (4점) MP3 | 44

① 도서관　　② 시장　　③ 미용실　　④ 서점

※ [11~14] **다음은 무엇에 대해 말하고 있습니까? 〈보기〉와 같이 알맞은 것을 고르십시오.** MP3 | 45

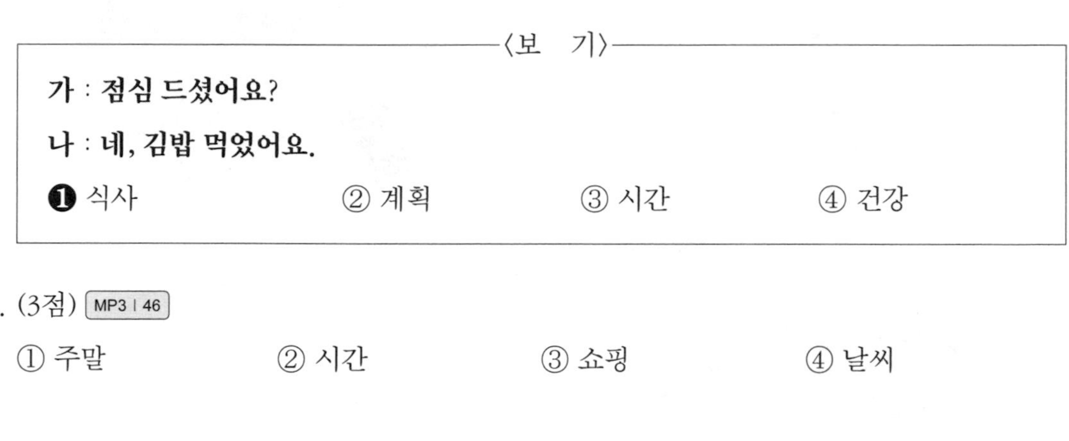

〈보　기〉

가 : 점심 드셨어요?

나 : 네, 김밥 먹었어요.

❶ 식사　　② 계획　　③ 시간　　④ 건강

11. (3점) MP3 | 46

① 주말　　② 시간　　③ 쇼핑　　④ 날씨

12. (3점) MP3 | 47

① 방학　　② 약속　　③ 날씨　　④ 건강

13. (4점) MP3 | 48

① 직업　　② 생일　　③ 관광　　④ 취미

14. (3점) MP3 | 49

① 약속　　② 직업　　③ 휴일　　④ 수업

※ [15~16] 다음 대화를 듣고 알맞은 그림을 고르십시오. (각 4점) MP3 | 50

15. MP3 | 50

①

②

③

④

16. MP3 | 51

①

②

③

④

※ [17~21] **다음을 듣고 〈보기〉와 같이 대화 내용과 같은 것을 고르십시오.** (각 3점) MP3 | 52

〈보 기〉

남자 : 요즘 한국어를 공부해요?

여자 : 네, 한국 친구한테서 한국어를 배워요.

① 남자는 학생입니다. ② 여자는 학교에 다닙니다.

③ 남자는 한국어를 가르칩니다. ❹ 여자는 한국어를 공부합니다.

17. MP3 | 52

① 두 사람은 지금 마트에 있습니다.

② 두 사람은 함께 마트에 가려고 합니다.

③ 남자는 필요한 물건이 생각나지 않습니다.

④ 남자는 여자에게 전화했습니다.

18. MP3 | 53

① 남자는 제주도에 가 본 적이 없습니다.

② 여자는 제주도에 세 번 갔습니다.

③ 남자는 제주도의 관광명소에 대해 물어보고 있습니다.

④ 여자는 다음에 또 제주도에 가려고 합니다.

19. MP3 | 54

① 민수 씨 생일은 내일입니다.

② 남자는 민수 씨의 선물을 이미 준비했습니다.

③ 두 사람은 함께 민수 씨의 생일 선물을 사려고 합니다.

④ 두 사람은 오후에 만나기로 했습니다.

20. MP3 | 55

① 남자는 수업 신청 방법을 잘 알고 있습니다.

② 남자는 출근하기 전에 영어 수업을 듣고 싶어합니다.

③ 수업을 신청하기만 하면 시험을 보지 않아도 됩니다.

④ 아침 시간에는 수업이 없어서 저녁에 수업을 들어야 합니다.

21. MP3 | 56

① 여자는 운동을 하다가 허리를 다쳤습니다.

② 여자는 앞으로 운동을 하지 않기로 했습니다.

③ 남자는 평소에 운동을 자주 합니다.

④ 여자는 앞으로 시간이 날 때마다 운동을 하려고 합니다.

※ [22~24] **다음을 듣고 <u>여자</u>의 중심 생각을 고르십시오.** (각 3점) MP3 | 57

22. MP3 | 57

① 자주 인터넷으로 책을 삽니다.

② 인터넷은 편리하고 값이 쌉니다.

③ 인터넷으로 물건을 사면 배달이 빠릅니다.

④ 인터넷으로 책을 사면 안심하고 주문할 수 있습니다.

23. MP3 | 58

① 회사 앞에 식당이 새로 생겼습니다.

② 맛있고 값싼 식당이 많아졌으면 좋겠습니다.

③ 새로 생긴 식당에 손님이 많습니다.

④ 평일 낮에 가면 점심을 싸게 먹을 수 있습니다.

24. MP3 | 59

① 감기에 걸리면 따뜻한 물을 많이 마셔야 합니다.

② 여름에 감기에 걸리면 쉽게 낫지 않습니다.

③ 여름철 감기는 더워도 주의 사항을 잘 지켜야 빨리 낫습니다.

④ 감기에 걸렸을 때는 에어컨을 오래 켜면 안 됩니다.

※ [25~26] **다음을 듣고 물음에 답하십시오.** MP3 | 60

25. 어떤 이야기를 하고 있는지 고르십시오. (3점)

① 주문 ② 안내 ③ 부탁 ④ 감사

26. 들은 내용과 같은 것을 고르십시오. (4점)

① 공연은 쉬는 시간이 없이 계속 진행됩니다.

② 휴대 전화는 끄거나 진동으로 바꿔야 합니다.

③ 필요할 때는 공연 중에라도 잠깐 자리를 이동할 수 있습니다.

④ 공연을 서서 봐도 됩니다.

※ [27~28] **다음을 듣고 물음에 답하십시오.** MP3 | 61

27. 두 사람이 무엇에 대해 이야기를 하고 있는지 고르십시오. (3점)

① 퇴근 후의 활동

② 결혼 준비

③ 빵 값이 비싼 이유

④ 나중에 하고 싶은 일

28. 들은 내용과 같은 것을 고르십시오. (4점)

① 여자는 아이에게 주려고 빵을 만듭니다.

② 물가가 올랐지만 빵 값은 그대로입니다.

③ 직접 빵을 만들면 빵 안에 넣는 재료에 대해서 걱정하지 않아도 됩니다.

④ 여자는 나중에도 계속 직장 생활을 하고 싶어합니다.

※ [29~30] **다음을 듣고 물음에 답하십시오.** MP3 | 62

29. 여자는 왜 남자에게 전화했습니까? (3점)

① 직업 체험 입장료를 문의하려고

② 아이와 함께 직업 체험에 참가하려고

③ 직업 체험에 대해 문의하려고

④ 직업 체험 신청 날짜를 문의하려고

30. 들은 내용과 같은 것을 고르십시오. (4점)

① 초등학교 3학년부터 신청할 수 있습니다.

② 이번 주에 신청하면 입장료를 10% 싸게 살 수 있습니다.

③ 직업 활동을 해서 받은 돈은 집에 가지고 갑니다.

④ 전화로 신청해야 합니다.

TOPIK I 읽기 (31번 ~ 70번)

※ [31~33] **무엇에 대한 이야기입니까? 〈보기〉와 같이 알맞은 것을 고르십시오.** (각 2점)

〈보　기〉

포도를 먹었습니다. 포도가 맛있었습니다.

① 시간　② 공부　❸ 과일　④ 날짜

31. 오늘은 수요일입니다. 내일은 목요일입니다.

① 직업　② 요일　③ 나라　④ 주말

32. 형은 회사원입니다. 누나는 선생님입니다.

① 시간　② 약속　③ 고향　④ 가족

33. 봄에는 따뜻하지만 바람이 많이 붑니다. 가을에는 시원하고 날씨가 맑습니다.

① 휴일　② 요일　③ 고향　④ 계절

※ [34~39] 〈보기〉와 같이 (   )에 들어갈 가장 알맞은 것을 고르십시오.

〈보 기〉

시간을 모릅니다. (   )를 봅니다.

① 잡지 ❷ 시계 ③ 주소 ④ 편지

34. (2점)

친구를 만납니다. 친구(   ) 전화를 합니다.

① 에게 ② 과 ③ 에 ④ 에서

35. (2점)

날씨가 덥습니다. 에어컨을 (   ).

① 켭니다 ② 끕니다 ③ 닦습니다 ④ 엽니다

36. (2점)

머리를 자릅니다. (   )에 갑니다.

① 서점 ② 가게 ③ 미용실 ④ 은행

37. (3점)

출퇴근 시간입니다. 그래서 길이 많이 (   ).

① 모입니다 ② 걸립니다 ③ 기다립니다 ④ 막힙니다

38. (3점)

저는 음악을 좋아합니다. 시간이 있을 때마다 (　　　　) 음악을 듣습니다.

① 거의　　② 제일　　③ 나중에　　④ 언제나

39. (2점)

꽃이 많이 피었습니다. 경치가 너무 (　　　　).

① 봅니다　　② 아름답습니다　　③ 높습니다　　④ 찍습니다

※ [40~42] **다음을 읽고 맞지 <u>않는</u> 것을 고르십시오.** (각 3점)

40.

제주도 캠핑 여행 상품 안내

☆ 날 짜 : 4월 15일 (목) ~ 4월 18일 (일)

☆ 조 건 : 전기 및 무선 인터넷 무료

☆ 비 용 : 1인 100,000원 (12세 이하는 반값)

※식사 재료는 무료로 드리지 않습니다.

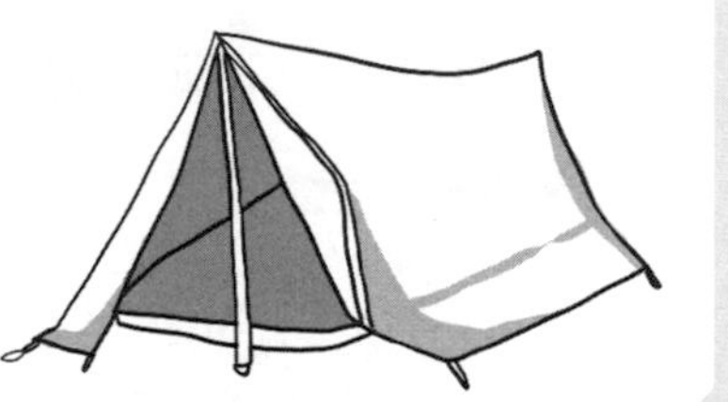

① 12살이 안 된 어린이는 돈을 반만 내면 됩니다.

② 여행은 5일 동안 갔다 옵니다.

③ 돈을 내지 않고 무선 인터넷을 사용할 수 있습니다.

④ 음식을 만들 때 재료가 필요하면 돈을 내고 사야 합니다.

第二回 模擬試題 解答表 完全解析

41.

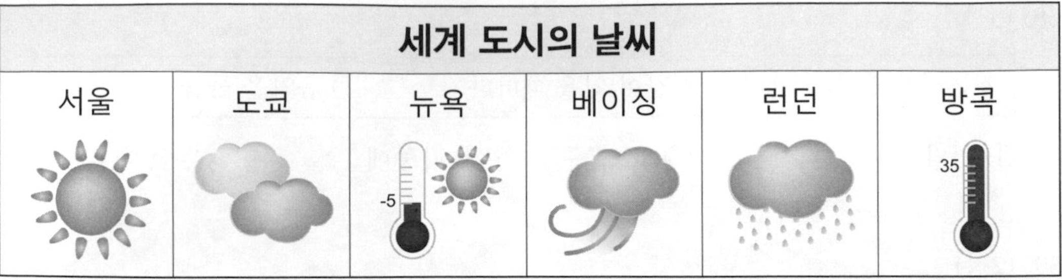

① 도쿄와 베이징은 날씨가 흐립니다.

② 방콕은 기온이 가장 높습니다.

③ 런던은 비가 오지만 서울은 맑은 날씨입니다.

④ 뉴욕은 날씨가 춥고 바람이 붑니다.

42.

최신 영화 무료 상영

◆ 제　목 : 써니

◆ 시　간 : 이번 주 목요일 (10/20) 17 : 00

◆ 장　소 : 학교 대강당

◆ 관객 수 : 200명 (12세 이상 입장 가능)

※ 좌석이 다 차면 입장할 수 없습니다.

① 목요일 오후 5시에 무료로 영화를 보여 줍니다.

② 이 학교 학생이 아니라도 영화를 볼 수 있습니다.

③ 영화는 학교 대강당에서 합니다.

④ 좌석 수와 상관없이 아무 때나 가도 영화를 볼 수 있습니다.

※ [43~45] **다음의 내용과 같은 것을 고르십시오.**

43. (3점)

올해 한국어 말하기 대회가 있습니다. 작년에도 있었지만 저는 나가지 않았습니다. 이번에는 참가하려고 합니다. 한국 친구가 날마다 제가 준비하는 것을 도와주고 있습니다.

① 작년에 말하기 대회에 참가했습니다.

② 저는 한국 친구를 도와주고 있습니다.

③ 작년과 올해 모두 말하기 대회에 참가합니다.

④ 올해 말하기 대회에 참가하기 위해서 노력하고 있습니다.

44. (2점)

집 근처에 큰 호수가 있습니다. 경치가 아름답고 조용해서 시간이 나면 항상 거기에 갑니다. 일주일에 세 번 정도 갑니다. 호수를 보면서 산책하면 즐거워집니다.

① 시간이 있을 때마다 언제나 호수에 갑니다.

② 집에서 호수까지 멉니다.

③ 바빠서 호수에 자주 갈 수 없습니다.

④ 기분이 좋을 때 호수를 산책합니다.

45. (3점)

이번 주말에 친구들과 놀이공원에 놀러 가려고 합니다. 그곳에 가려면 먼저 기차를 타고 50분쯤 간 후에 다시 버스로 갈아타야 합니다. 한 시간쯤 걸릴 것입니다. 우리는 주말 아침에 일찍 기차역에서 만나기로 했습니다.

① 놀이공원까지 한 번에 갈 수 있습니다.

② 나는 친구들을 만나서 같이 갈 것입니다.

③ 놀이공원에 가려면 버스를 오랫동안 타야 합니다.

④ 나는 친구들과 기차역에서 만났습니다.

※ **[46~48] 다음을 읽고 중심 생각을 고르십시오.**

46. (3점)

저는 기분이 나쁠 때 쇼핑을 합니다. 어제 저녁에도 친구를 만나서 옷과 신발을 샀습니다. 그런데 돈을 너무 많이 써서 후회했습니다. 앞으로는 기분이 안 좋아도 쇼핑을 너무 많이 하지 말아야겠습니다.

① 어제 저녁에 기분이 나빴습니다.
② 어제 쇼핑을 했습니다.
③ 앞으로 돈을 너무 많이 쓰지 말아야 합니다.
④ 돈을 많이 쓴 후에 후회합니다.

47. (3점)

저는 길을 잘 못 찾는 편입니다. 여러 번 가 본 적이 있는 길도 자주 잃어버립니다. 그런데 요즘은 휴대전화로 지도를 보고 찾아갈 수 있습니다. 휴대전화의 지도가 길을 가르쳐 주니까 별로 걱정하지 않게 되었습니다.

① 자주 길을 잃어버리는 편입니다.
② 휴대전화에 있는 지도로 길을 찾을 수 있게 되었습니다.
③ 길을 잘 못 찾아서 걱정이 됩니다.
④ 휴대전화로 지도를 보지 않으면 길을 찾을 수 없습니다.

48. (2점)

며칠 전에 백화점에서 원피스를 하나 샀습니다. 오늘 원피스를 입었는데 색깔이 너무 마음에 들지 않았습니다. 내일 가서 다른 색으로 바꾸려고 합니다.

① 옷이 마음에 들지 않아서 바꾸려고 합니다.
② 저는 원피스의 색깔을 좋아합니다.
③ 내일 다시 백화점에 갈 겁니다.
④ 이 원피스가 마음에 들지 않습니다.

※ [49~50] **다음을 읽고 물음에 답하십시오.** (각 2점)

> 우리 회사는 일 년에 한 번씩 회사 직원들 모두가 함께 여행을 떠납니다. 직원들은 돈을 낼 필요가 없습니다. 비행기표부터 숙소와 식사까지 모두 회사에서 (㉠). 직원들끼리 가고 싶은 곳을 정해서 회사에 알려 주면 됩니다. 보통 경치가 아름다운 곳에 가서 쉬기도 하고 구경도 합니다.

49. ㉠에 들어갈 알맞은 말을 고르십시오.

① 문의합니다　　② 알려 줍니다

③ 비용을 냅니다　　④ 결정합니다

50. 이 글의 내용과 같은 것을 고르십시오.

① 보통 맛있는 음식이 많은 곳으로 여행을 갑니다.

② 여행에서 먹는 것과 자는 것 모두 무료입니다.

③ 여행 장소는 회사에서 결정합니다.

④ 여행을 가지 않는 직원들도 많습니다.

※ [51~52] **다음을 읽고 물음에 답하십시오.**

많은 사람들이 오랜 시간 동안 휴대전화를 사용합니다. 휴대전화로 자료를 찾으려고 이용하는 사람도 있고 영화나 드라마를 보는 사람들도 많습니다. 그런데 휴대전화를 사용할 때 보통 머리를 아래로 하게 됩니다. 이런 자세는 목 건강에 (　　㉠　　) 50분 정도 사용 후에 10분쯤 쉬는 것이 좋습니다.

51. ㉠에 들어갈 알맞은 말을 고르십시오. (3점)

① 좋지 않지만　　② 좋기 때문에

③ 해롭지만　　④ 해롭기 때문에

52. 무엇에 대한 이야기인지 맞는 것을 고르십시오.(2점)

① 목 건강이 나빠지는 이유

② 휴대전화를 사용할 때 주의할 것

③ 휴대전화를 이용하는 목적

④ 휴대전화를 사용하는 방법

※ [53~54] **다음을 읽고 물음에 답하십시오.**

저에게는 자주 잊어버리는 나쁜 습관이 있습니다. 사람들과 만날 약속을 해도 날짜나 시간을 기억하지 못 해서 실수를 한 적이 여러 번 있었습니다. 그래서 (㉠) 수첩을 샀습니다. 수첩에 해야 할 일이나 약속, 친구들의 생일을 미리 써 놓습니다. 또 여행을 가면 느낀 것을 적어 놓기도 합니다. 지금은 어디를 가든지 수첩을 가지고 다니게 되었습니다.

53. ㉠에 들어갈 알맞은 말을 고르십시오. (2점)

① 잃어버리지만 ② 잃어버리는

③ 잊어버리지 않으려고 ④ 잊어버려도 되니까

54. 이 글의 내용과 같은 것을 고르십시오. (3점)

① 여행갈 때는 수첩을 가지고 가지 않습니다.

② 수첩에는 보통 일기를 씁니다.

③ 예전에 잊어버리는 습관 때문에 실수를 많이 했습니다.

④ 요즘은 외출할 때 가끔 수첩을 가지고 나갑니다.

※ [55~56] **다음을 읽고 물음에 답하십시오.**

요즘 주말에 산이나 바다로 캠핑을 떠나는 가족들이 많습니다. 도시에 있으면 답답하고 아이들이 놀 수 있는 공간이 많지 않기 때문입니다. 캠핑을 가면 신선한 공기를 마실 수 있어서 건강에 좋습니다. 아이들은 넓은 자연에서 신나게 놀 수 있습니다. 가족들이 함께 밥을 해서 먹고 이야기하면서 부모와 자녀들의 관계가 더 좋아집니다. (㉠) 캠핑을 즐기는 사람들이 점점 많아지고 있습니다.

55. ㉠에 들어갈 알맞은 말을 고르십시오. (2점)

① 그리고　　② 그래서

③ 그렇지만　　④ 그런데

56. 이 글의 내용과 같은 것을 고르십시오. (3점)

① 캠핑은 주로 산으로 갑니다.

② 도시에도 아이들이 재미있게 놀 수 있는 곳이 많습니다.

③ 캠핑을 가면 밥을 사 먹고 가족들끼리 이야기를 합니다.

④ 요즘 캠핑을 좋아하는 사람들이 늘어나고 있습니다.

※ [57~58] **다음을 순서대로 맞게 나열한 것을 고르십시오.**

57. (3점)

(가) 어떤 새들은 겨울이 되면 따뜻한 곳으로 가서 겨울을 보냅니다. (나) 또 추운 곳에 사는 새들은 겨울을 찾아서 오기도 합니다. (다) 산에는 새들이 많지만 항상 같은 종류의 새들만 있는 것은 아닙니다. (라) 이렇게 계절마다 다른 지역으로 옮기는 새들이 많습니다.

① (다)-(가)-(나)-(라)

② (가)-(나)-(라)-(다)

③ (다)-(가)-(라)-(나)

④ (가)-(나)-(다)-(라)

58. (2점)

(가) 그런데 교통이 복잡해서 호텔로 가는 길을 찾기가 어려웠습니다. (나) 저는 지난 주에 처음으로 한국에 왔습니다. (다) 그래서 길을 잃어버리지 않고 호텔을 찾을 수 있었습니다. (라) 사람들에게 물어보니까 모두 친절하게 가르쳐 주었습니다.

① (라)-(다)-(가)-(나)

② (다)-(나)-(라)-(가)

③ (나)-(가)-(라)-(다)

④ (나)-(가)-(다)-(라)

※ [59~60] **다음을 읽고 물음에 답하십시오.**

한국에 온 지 일 년이 되었습니다. 처음에는 아는 사람도 없고 한국어도 할 줄 몰라서 무척 힘들었습니다. (㉠) 고향 생각이 많이 났지만 육 개월만 공부해 보기로 했습니다. (㉡) 한국어를 할 줄 알게 되니까 한국 친구들도 많이 생겼습니다. 저는 생각을 바꿔서 여기에서 대학원에 진학하기로 결심했습니다. (㉢) 대학원을 졸업한 후에는 여기에서 취업을 하려고 생각합니다. (㉣) 부모님이 보고 싶지만 그래도 여기에서 능력을 키우고 발전하면 좋을 것 같습니다.

59. 다음 문장이 들어갈 곳을 고르십시오. (2점)

그 후 열심히 노력한 덕분에 한국 생활도 익숙해지고 한국어 실력도 늘었습니다.

① ㉠　② ㉡
③ ㉢　④ ㉣

60. 이 글의 내용과 같은 것을 고르십시오. (3점)
① 한국에 온 후 육 개월이 지나지 않았습니다.
② 부모님이 보고 싶어서 고향에 돌아가려고 합니다.
③ 생각이 바뀌어서 한국에서 대학원 공부를 하려고 합니다.
④ 대학원을 졸업한 후에 대해 아직 생각해 보지 않았습니다.

※ [61~62] **다음을 읽고 물음에 답하십시오.** (각 2점)

저는 지금 원룸에 살고 있습니다. 원래 학교 기숙사를 구하려고 했지만 빈방이 없었습니다. 기숙사가 생활하기도 편하고 값도 싸기 때문에 기숙사를 신청하는 학생들이 많습니다. 방을 구하지 못할까 봐 걱정이 되었습니다. 그 때 친구가 지금 사는 원룸을 소개해 주었습니다. 이 집은 지은 지 얼마 안 되어서 깨끗하고 시설이 좋습니다. 학교에서 좀 멀고 원룸이라서 기숙사보다 (㉠) 주변이 조용하니까 공부하기가 좋습니다. 마음에 드는 집을 구해서 매일 즐겁게 보내고 있습니다. 이 집에 오래 살았으면 좋겠습니다.

61. ㉠에 들어갈 알맞은 말을 고르십시오.

① 비싼 것처럼　　② 비싼 편이고

③ 비싸기 때문에　　④ 비싸기는 하지만

62. 이 글의 내용과 같은 것을 고르십시오.

① 처음에 학교 기숙사에 살다가 원룸으로 이사했습니다.

② 원룸이 학교에서 멀기 때문에 다른 곳을 알아보려고 합니다.

③ 지금 살고 있는 원룸을 직접 찾았기 때문에 마음에 듭니다.

④ 지금 사는 곳이 마음에 들어서 앞으로도 계속 살고 싶습니다.

※ [63~64] **다음을 읽고 물음에 답하십시오.**

축복해 주십시오 !

두 사람이 만난 지 2년이 되는 날 하나가 되려고 합니다. 그동안 여러분의 관심 속에 성장한 저희가 믿음과 사랑으로 결혼합니다. 꼭 오셔서 축하해 주시면 감사하겠습니다.결혼식은 9월 15일 토요일 오전 11시에 있을 예정입니다. 축복예식장 2층 행복홀로 오시면 됩니다. 결혼식이 끝난 후에 예식장 옆 축복식당에 식사를 준비했습니다. 꼭 오셔서 드시기 바랍니다. 예식장 주변의 교통이 복잡하니까 대중교통을 이용하시는 것이 좋겠습니다.

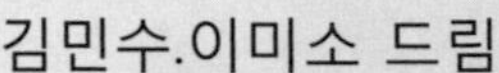
김민수.이미소 드림

63. 두 사람은 왜 이 글을 썼습니까? (2점)

① 결혼식에 초대하려고

② 결혼식에 참석하려고

③ 결혼식 장소를 알려주려고

④ 결혼식 참석을 확인하려고

64. 이 글의 내용과 같은 것을 고르십시오. (3점)

① 두 사람은 사귄 지 2년이 넘었습니다.

② 결혼식 전에 식당에 가서 식사를 할 수 있습니다.

③ 자기 차를 가지고 가면 예식장 근처에서 차가 막힐 것입니다.

④ 결혼식은 평일 낮에 합니다.

※ [65~66] **다음을 읽고 물음에 답하십시오.**

대학교 도서관에 들어가려면 학생증이 있어야 합니다. 도서관 안에는 층마다 열람실이 있습니다. 학생들은 그 곳에서 공부를 해도 되고 또 책을 빌릴 수도 있습니다. 도서관에서 (㉠) 우선 빌리고 싶은 책이 도서관에 있는지 검색해야 합니다. 만약 다른 사람이 이미 책을 빌려갔을 때에는 미리 예약을 하면 됩니다. 그러면 다음 순서에 그 책을 빌릴 수가 있습니다. 책을 빌릴 수 있는 기간은 보통 한 달입니다. 한 달 안에 책을 다 읽고 돌려주는 것이 좋습니다. 기간이 넘으면 돈을 내야 합니다.

65. ㉠에 들어갈 알맞은 말을 고르십시오. (2점)

① 책을 빌려도
② 책을 빌린 후에
③ 책을 빌린 적이 있는데
④ 책을 빌리려면

66. 이 글의 내용과 같은 것을 고르십시오. (3점)

① 책을 빌린 지 한 달이 넘어도 벌금을 내지 않습니다.
② 책을 빌리기 전에 먼저 검색을 해야 합니다.
③ 학생증이 없어도 자유롭게 공부를 하거나 책을 빌릴 수 있습니다.
④ 책을 빌리면 다 읽은 후에 돌려줘도 됩니다.

※ **[67~68] 다음을 읽고 물음에 답하십시오. (각 3점)**

바쁜 직장인들이 일을 하다가 또는 학생들이 공부를 하다가 볼펜이 흰색 옷에 묻을 때가 있을 것입니다. 이렇게 생긴 볼펜 자국은 옷을 빨아도 잘 없어지지 않습니다. 볼펜 자국을 지우려면 특별한 방법을 써야 합니다. 먼저 식초를 사용하면 (㉠) 수 있습니다. 더러워진 옷을 세탁할 때 식초를 넣으면 볼펜 자국이 없어집니다. 더 깨끗하게 빨기 위해서 따뜻한 물을 사용하기도 합니다. 볼펜에는 기름이 있기 때문에 물만 사용하면 지우기 어렵습니다. 그래서 볼펜 기름을 지울 수 있는 것으로 볼펜이 묻은 부분을 닦는 것이 좋습니다.

67. ㉠에 들어갈 알맞은 말을 고르십시오.

① 옷이 깨끗해질　　② 옷이 더러워질
③ 볼펜 자국이 남을　　④ 자국이 생길 수

68. 이 글의 내용과 같은 것을 고르십시오.

① 볼펜 자국을 지울 때 식초로 볼펜이 묻은 부분을 닦습니다.
② 볼펜 자국은 물로 빨아도 깨끗해집니다.
③ 옷을 깨끗하게 만들고 싶으면 찬물을 넣어야 합니다.
④ 볼펜으로 더러워진 옷에는 식초를 사용하는 것이 좋습니다.

※ [69~70] **다음을 읽고 물음에 답하십시오. (각 3점)**

형과 저는 쌍둥이 형제입니다. 우리는 얼굴과 목소리가 똑같고 체격도 비슷합니다. 하지만 사실 두 사람의 성격은 많이 다릅니다. 형은 성격이 조용한 편입니다. 혼자 책을 읽고 음악을 듣거나 생각하는 것을 좋아합니다. 그런데 저는 (㉠   ) 무척 좋습니다. 그래서 집에 있는 것보다 밖에서 사람들과 운동을 하거나 이야기를 하는 것을 더 좋아합니다. 아는 사람도 많습니다. 부모님은 우리가 쌍둥이지만 성격이 다른 것을 신기하게 생각하십니다. 우리를 아는 사람들은 저와 형을 금방 알아볼 수 있습니다.

69. ㉠에 들어갈 알맞은 말을 고르십시오.

① 여기저기 여행하는 것이　　② 혼자 있는 것이
③ 사람들과 함께 있는 것이　　④ 우리가 서로 닮은 것이

70. 이 글의 내용으로 알 수 있는 것은 무엇입니까?

① 부모님은 우리의 성격이 달라서 힘들어하십니다.
② 저는 사람들을 만나는 것을 좋아하는 편입니다.
③ 형은 성격이 활발해서 아는 사람이 많습니다.
④ 우리는 쌍둥이라서 모든 것이 다 비슷합니다.

第二回模擬試題　解答表

考試回數：第二回模擬試題　　考試等級：TOPIK I　　領域：聽力

題號	解答	配分	題號	解答	配分
1	②	4	16	④	4
2	①	4	17	③	3
3	④	3	18	①	3
4	③	3	19	③	3
5	②	4	20	②	3
6	③	3	21	①	3
7	④	3	22	④	3
8	③	3	23	②	3
9	①	3	24	③	3
10	③	4	25	②	3
11	②	3	26	②	4
12	③	3	27	①	3
13	④	4	28	③	4
14	①	3	29	③	3
15	②	4	30	②	4

考試回數：第二回模擬試題　考試等級：TOPIK I　領域：閱讀

題號	解答	配分	題號	解答	配分
31	②	2	51	④	3
32	④	2	52	②	2
33	④	2	53	③	2
34	①	2	54	③	3
35	①	2	55	②	2
36	③	2	56	④	3
37	④	3	57	①	3
38	④	3	58	③	2
39	②	2	59	②	2
40	②	3	60	③	3
41	④	3	61	④	2
42	④	3	62	④	2
43	④	3	63	①	2
44	①	2	64	③	3
45	②	3	65	④	2
46	③	3	66	②	3
47	②	3	67	①	3
48	①	2	68	④	3
49	③	2	69	③	3
50	②	2	70	②	3

第二回模擬試題　完全解析

TOPIK I 聽力（第1題～第30題）

※ [1~4] **다음을 듣고 〈보기〉와 같이 물음에 맞는 대답을 고르십시오.** MP3 | 32

請聽下列對話，並參考<範例>選出符合問題的回答。

1. (4점) (4分) MP3 | 33

남자 : 회사원이에요?
男生：是上班族嗎？
여자 : ________________
女生：________________

① 네, 회사에 가요. 對，去公司。

❷ 아니요, 의사예요. 不，是醫生。

③ 아니요, 집에 있어요. 不，在家。

④ 네, 학생이에요. 對，是學生。

解題 「上班族」的韓文是「회사원」，「是 / 不是」的韓文是「이다/아니다」。針對問題要以「네, 회사원이에요.」（是，是上班族。）或「아니요, 회사원이 아니에요.」（不，不是上班族）等來回答。因此，「아니요, 의사예요.」（不，是醫生。）才是正確答案。

答案 ② 아니요, 의사예요. 不，是醫生。

❗ **關鍵語彙**：회사원 上班族　　　의사 醫生

❗ **關鍵文法**：N+이다/아니다 是 / 不是N

2. (4점) (4分) MP3 | 34

남자 : 우유가 있어요?
男生：有牛奶嗎？
여자 : ____________________
女生：____________________

❶ 네, 우유가 많아요. 有，牛奶很多。
② 네, 우유가 없어요. 是，沒有牛奶。
③ 아니요, 우유를 사요. 不，買牛奶。
④ 아니요, 우유는 아니에요. 不，不是牛奶。

解題 女生想要知道有沒有牛奶，對此男生要用「있어요」（有）、「없어요」（沒有）或是「많아요」（多）來回答。因此，「네, 우유가 많아요.」（有，牛奶很多。）才是正確答案。

答案 ① 네, 우유가 많아요. 有，牛奶很多。

❗關鍵語彙： 우유 牛奶　많다 多　있다 有

❗關鍵文法： N+이/가 있다 有N　N+이/가 없다 沒有N
N+이/가 많다 很多N

3. (3점) (3分) MP3 | 35

남자 : 주말에 뭐 했어요?
男生：週末做了什麼？
여자 : ____________________
女生：____________________

① 주말에 만났어요. 在週末見面了。
② 조금 전에 먹었어요. 剛才吃了。
③ 가족들하고 갔어요. 和家人去了。
❹ 서점에서 책을 샀어요. 在書店買了書。

解題 本題要聽懂「뭐 했어요?」（做了什麼？）。對此，女生要回答「做了什麼事情」。「주말에 만났어요」（在週末見面了）、「조금 전에 먹었어요」（剛才吃了）是對「什麼時候」的回答；而「가족들하고 갔어요」（和家人去了）是對「和誰」的回答。

答案 ④ 서점에서 책을 샀어요. 在書店買了書。

❗關鍵語彙： 주말 週末　뭐 什麼　하다 做
서점 書店　책을 사다 買書

❗關鍵文法： N（時間）＋에 在N（時間）　N（場所）＋에서 在N（場所）

4. (3점) (3分) MP3 | 36

남자 : 보통 회사에 어떻게 가요?
男生：通常怎麼去公司？
여자 : ______________________
女生：______________________

① 오늘 갈 거예요. 今天要去。

② 회사에서 일해요. 在公司工作。

❸ 지하철을 타고 가요. 搭捷運去。

④ 버스를 탈 거예요. 要去搭公車。

解題 「어떻게 가요?」是「怎麼去？」，就是指使用什麼方法去。因此，回答要說用什麼交通工具。「보통」（平常、通常）代表平常的習慣，所以不能用「버스를 탈 거예요.」（要去搭公車。）這種未來式回答。

答案 ③ 지하철을 타고 가요. 搭捷運去。

❗關鍵語彙： 보통 通常　어떻게 如何　지하철 捷運
버스 公車

❗關鍵文法： N（交通工具）＋을/를 타고 가다 搭乘N（交通工具）去
A；V+(으)ㄹ 거예요. 要～。（未來式）

※ [5~6] **다음을 듣고 〈보기〉와 같이 이어지는 말을 고르십시오.** MP3 | 37

請聽下列對話，並參考<範例>選出接下來的對話。

5. (4점) (4分) MP3 | 38

여자 : 오랜만이에요.
女生：好久不見。
남자 : ________________
男生：________________

① 실례합니다. 不好意思。
❷ 반가워요. 很高興見到你。
③ 감사합니다. 謝謝。
④ 안녕히 가세요. 再見。

解題 這題要知道在各種場合使用的問候語。對於「오랜만이에요.」（好久不見）的問候，通常以「반가워요.」（很高興見到你）來回應。

答案 ② 반가워요. 很高興看到你。

❗關鍵語彙： 오랜만이다 好久不見　　반갑다 很高興見到你

6. (3점) (3分) MP3 | 39

남자 : 이 선생님 좀 바꿔 주세요.
男生：請幫我轉接李老師。（請李老師聽一下電話。）
여자 : ________________
女生：________________

① 네, 그런데요. 對，但是。
② 아닌데요. 不是。
❸ 지금 안 계신데요. 現在不在。
④ 바꿔 드릴까요? 要幫您轉接嗎？

解題 本題測驗接聽電話該如何應對。對「바꿔 주세요」（請幫我轉接），女生應以「잠깐만 기다리세요」（請稍等）或是「지금 안계신데요」（現在不在）等來回答。

第二回 模擬試題 解答表 完全解析

答案 ③ 지금 안 계신데요. 現在不在。

❗關鍵語彙：바꿔 주다 幫～轉接　　지금 現在
계시다 在（「있다」的敬語）

❗關鍵文法：V+아/어/여 주세요 請幫我～
V+아/어/여 드릴까요? 要幫您～嗎？

※ [7~10] **여기는 어디입니까? 〈보기〉와 같이 알맞은 것을 고르십시오.** MP3 | 40

這裡是哪裡？請參考<範例>並選出適合的選項。

7. (3점) (3分) MP3 | 41

남자 : 이 집은 뭐가 맛있어요?
男生：這家什麼好吃？
여자 : 저도 기억이 안 나요. 메뉴를 보면 알 것 같아요.
女生：我也想不起來。看菜單應該會知道。

① 회사 公司
② 은행 銀行
③ 미용실 美容院
❹ 식당 餐廳

解題 從「맛있다」（好吃）、「메뉴」（菜單）等語彙，可以知道二個人在「식당」（餐廳）。

答案 ④ 식당 餐廳

❗關鍵語彙：뭐 什麼　　맛있다 好吃
메뉴 菜單　　알다 知道
기억이 안 나다 想不起來

❗關鍵文法：안 不～
A；V+(으)면 若～的話
A；V+(으)ㄹ 것 같다 應該會～

8. (3점) (3分) MP3 | 42

여자 : 어서 오세요. 어떻게 오셨어요?
女生：歡迎光臨。有什麼事可以幫您嗎？
남자 : 머리가 아픈데 두통약 있을까요?
男生：頭很痛，有沒有頭痛藥？

① 백화점 百貨公司

② 박물관 博物館

❸ 약국 藥局

④ 극장 電影院

解題 從「머리가 아프다」（頭痛）及「두통약」（頭痛藥）等語彙，可以知道這裡可能是「약국」（藥局）。

答案 ③ 약국 藥局

❗關鍵語彙： 머리 頭腦　　아프다 疼痛　　두통약 頭痛藥

❗關鍵文法： A；V+(으)ㄹ까요? ～嗎？

9. (3점) (3分) MP3 | 43

남자 : 모양은 마음에 드는데 색깔이 별로예요.
男生：款式很滿意，但顏色不太好看。
여자 : 그럼 다른 색으로 보여 드릴까요?
女生：那麼，要拿別的顏色給妳看嗎？

❶ 백화점 百貨公司

② 서점 書店

③ 교실 教室

④ 영화관 電影院

解題 從「모양」（樣子、款式）、「색깔」（顏色）、「보여 드리다」（拿給～看）等語彙，可以知道男生是客人、女生是店員，這裡可能是「백화점」（百貨公司）。

答案 ① 백화점 百貨公司

❗關鍵語彙： 모양 樣子、款式　　마음에 들다 滿意、喜歡　색깔 顏色
별로이다 不怎麼樣　　보여 드리다 給～看（「보여 주다」的敬語）

❗關鍵文法： V+아/어/여 드릴까요? 要幫您做～嗎？
V+아/어/ 여 주다 幫忙做～

10. (4점) (4分) MP3 | 44

남자 : 머리를 어떻게 해 드릴까요?
男生：頭髮要怎麼幫您弄？
여자 : 짧게 잘라 주세요.
女生：請幫我剪短。

① 도서관 圖書館　　② 시장 市場
❸ 미용실 美容院　　④ 서점 書店

解題 從「머리」（頭髮）、「잘라 주세요」（請幫我剪）等語彙，可以猜測這裡是미용실」（美容院）。

答案 ③ 미용실 美容院

❗關鍵語彙： 머리 頭髮　　짧다 短　　자르다 剪

❗關鍵文法： V+아/어/여 주다 幫忙做～　　A+게 ～地（副詞）

※ [11~14] **다음은 무엇에 대해 말하고 있습니까? 〈보기〉와 같이 알맞은 것을 고르십시오.** MP3 | 45

以下在談論關於什麼？請參考<範例>並選出適合的選項。

11. (3점) (3分) MP3 | 46

남자 : 지금 몇 시예요?
男生：請問現在幾點？
여자 : 8시 55분이에요. 5분 후에 수업이 시작돼요.
女生：8點55分。5分鐘後要開始上課了。

① 주말 週末　　❷ 시간 時間
③ 쇼핑 購物　　④ 날씨 天氣

解題 從「몇 시예요？」（請問幾點？）、「8시 55분」（8點55分）、「5분 후에」（在5分鐘後）等句子可以知道兩人在談論「시간」（時間）。

答案 ② 시간 時間

❶ 關鍵語彙： 몇 시 幾點　8시 8點　55분 55分

12. (3점) (3分) MP3 | 47

> 여자 : 오늘 정말 덥지요?
> 女生：今天真的很熱對吧？
> 남자 : 네, 며칠 동안 계속 35도 이상이에요.
> 男生：對，連續幾天（氣溫）一直都35度以上。

① 방학 放假

② 약속 約會

❸ 날씨 天氣

④ 건강 健康

解題 從「덥지요」（熱吧）、「35도」（35度）等語彙，可以知道二人正在談論「날씨」（天氣）。

答案 ③ 날씨 天氣

❶ 關鍵語彙： 덥다 熱　35도 35度　이상 以上　며칠 동안 連續幾天

❶ 關鍵文法： A；V+지요? 是～對吧？

13. (4점) (4分) MP3 | 48

> 여자 : 전시회 구경하는 걸 좋아하세요?
> 女生：您喜歡看展覽嗎？
> 남자 : 네, 시간이 날 때마다 가서 봐요.
> 男生：對，每次有空的時候就會去看。

① 직업 職業

② 생일 生日

③ 관광 觀光

❹ 취미 興趣

解題 女生問「좋아하세요?」（您喜歡嗎？），男生回答「시간이 날 때마다」（每次有空的時候），由此可以知道女生是在問男生的「취미」（興趣）。

答案 ④ 취미 興趣

❗關鍵語彙： 구경하다 觀賞　좋아하다 喜歡　시간이 나다 有空　전시회 展覽

❗關鍵文法： V+는 것 V的　N+마다 每個N

14. (3점) (3分) MP3 I 49

> 남자 : 이번 주에 만나기로 했어요?
> 男生：決定在這星期見面嗎？
> 여자 : 아니요. 회의가 많아서 다음 주에 만나기로 했어요.
> 女生：不是。因為有很多會議，所以決定在下星期見面。

❶ 약속 約定

② 직업 職業

③ 휴일 假日

④ 수업 課

解題 從「이번 주」（這星期）、「다음 주」（下星期）、「만나다」（見面）等詞彙，可以知道二人正在談論「약속」（約定）。

答案 ① 약속 約定

❗關鍵語彙： 이번 주 這星期　다음 주 下星期　만나다 見面　회의 會議

❗關鍵文法： V+기로 하다 決定要做～　A；V+아/어/여서 因為～

※ [15~16] **다음 대화를 듣고 알맞은 그림을 고르십시오. (각 4점)** MP3 | 50

請聽以下對話，並選出正確的圖畫。（各4分）

15. MP3 | 50

남자 : 주문하신 음식 나왔습니다. 맛있게 드십시오.

男生：您點的餐點來了。請慢用。

여자 : 감사합니다.

女生：謝謝。

❷

④

解題 從二人的對話可以知道男生是服務生，他要上菜。女生是客人，對男生的服務表示感謝。

答案 ②

❗關鍵語彙： 주문하다 點（餐）、訂　음식 菜　나오다 出來
맛있게 津津有味地　드시다 吃（「먹다」的敬語）

❗關鍵文法： V+(으)ㄴ （動詞過去式冠形詞）
V+(으)십시오 請你做～（格式體語尾）

16. MP3 | 51

남자 : 스키를 처음 타지요? 잡아 줄까요?

男生：你是第一次滑雪對吧？要不要我扶著你？

여자 : 네. 좀 잡아 주세요.

女生：好。請扶著我。

① 

② 

③ 

❹ 

解題 二人在滑雪場對話，女生是初學者，男生問女生需不需要扶著她。

答案 ④

❗關鍵語彙： 스키를 타다 滑雪　　잡다 抓、扶持

처음 第一次、初次

❗關鍵文法： V+(으)ㄹ까요? 要不要～？

V+아/어/여 주다 幫忙做～

※ [17~21] **다음을 듣고 〈보기〉와 같이 대화 내용과 같은 것을 고르십시오. (각 3점)** MP3 | 52

請聽下列對話，並參考<範例>選出和對話內容一致的選項。（各3分）

17. MP3 | 52

여자 : 저 지금 마트에 가려고 하는데 사다 줄 거 있어요?
女生：我現在要去超市，有沒有要我幫你買的？
남자 : 음…생각해 보고 필요한 거 있으면 전화할게요.
男生：嗯……我想想，有需要的話再打電話給你。

解題 ① 두 사람은 지금 마트에 있습니다.
二人現在在超市。 不符 → 女生想要去超市，男生沒有這想法。

② 두 사람은 함께 마트에 가려고 합니다.
二人想要一起去超市。 不符 → 只有女生打算去超市。

❸ 남자는 필요한 물건이 생각나지 않습니다.
男生想不起來他需要的東西。 相符 → 男生說要想想，可知他一時想不到需要的東西。

④ 남자는 여자에게 전화했습니다.
男生打電話給女生。 不符 → 男生並沒有打電話給女生。

答案 ③ 남자는 필요한 물건이 생각나지 않습니다. 男生想不起來他需要的東西。

❶ **關鍵語彙**：마트 超市　사다 주다 買給
생각하다 想、思考　필요하다 需要
전화하다 講電話

❶ **關鍵文法**：V+(으)려고 하다 打算要做~
V+(으)ㄹ 거 要做~的
V+아/어/여 보다 試著做~
V+(으)ㄹ게요 我會~（話者說，也就是第一人稱說）

第二回 模擬試題 解答表 完全解析

18. MP3 | 53

남자 : 제주도는 전에 가지 않았어요? 이번에 또 가요?
男生：濟州島以前不是去過嗎？這次又要去嗎？
여자 : 네. 이번이 세 번째인데 경치도 너무 아름답고 음식도 맛있어서 또 기대돼요.
女生：對。這次是第三次，但因為風景太美麗、菜也好吃，所以還是很期待。
남자 : 저는 제주도는 안 가 봤는데 다음에 갈 때 어디를 구경할지 뭘 먹을지 물어 볼게요.
男生：我沒去過濟州島，下次去的時候再問你要逛哪裡、要吃什麼。
여자 : 네. 저한테 물어 보세요. 싸고 깨끗한 숙소도 알려 드릴게요.
女生：好，請問我吧。我再告訴您便宜又乾淨的飯店。

解題 ❶ 남자는 제주도에 가 본 적이 없습니다.

男生沒去過濟州島。 相符 → 男生說「안 가 봤다」（沒去過），這和「가 본 적이 없다」（不曾去過）是一樣的意思。

② 여자는 제주도에 세 번 갔습니다.

女生去過濟州島三次。 不符 → 這次是第三次。

③ 남자는 제주도의 관광명소에 대해 물어보고 있습니다.

男生正在詢問濟州島的觀光景點。 不符 → 男生說下次去的時候再問。

④ 여자는 다음에 또 제주도에 가려고 합니다.

女生打算下次再去濟州島。 不符 → 沒提及。

答案 ① 남자는 제주도에 가 본 적이 없습니다. 男生沒去過濟州島。

❗關鍵語彙：
- 제주도 濟州島
- 이번 這次
- 세 번째 第三次
- 경치 風景
- 아름답다 美麗
- 음식 飲食
- 맛있다 好吃
- 기대되다 期待
- 다음 下次
- 구경하다 逛
- 물어 보다 詢問

❗關鍵文法：
- A；V＋아/어/여서 因為～
- 안 ~ 아/어/여 보다 沒做過～
- 疑問代名詞＋(으)ㄹ지 要～＋疑問代名詞

19. MP3 | 54

남자 : 모레가 민수 씨 생일인데 선물 준비했어요?
男生：後天是敏秀先生的生日，你準備禮物了嗎？
여자 : 아니요, 아직 준비 못 했어요. 민수 씨가 좋아하는 것을 선물해주고 싶은데요.
女生：沒有，還沒準備。想送敏秀先生喜歡的東西。
남자 : 저도요. 우리 내일 저녁에 백화점에 같이 한번 가 볼까요?
男生：我也是。我們明天晚上要不要一起去百貨公司看看？
여자 : 그럴까요? 두 사람이 같이 고르면 더 좋은 선물을 살 수 있을 것 같네요.
女生：好啊。二個人一起挑的話應該可以買到更不錯的禮物呢。

解題 ① 민수 씨 생일은 내일입니다.

敏秀先生的生日是明天。 不符 → 後天才是敏秀先生的生日。

② 남자는 민수 씨의 선물을 이미 준비했습니다.

男生已經準備好敏秀先生的禮物。 不符 → 男生説「저도요」（我也是），這話表示他也還沒準備禮物。

❸ 두 사람은 함께 민수 씨의 생일 선물을 사려고 합니다.

二個人打算一起買敏秀先生的生日禮物。 相符 → 二個人約好一起去百貨公司挑禮物。

④ 두 사람은 오후에 만나기로 했습니다.

二個人約好下午見面。 不符 → 二個人要在明天晚上見面。

答案 ③ 두 사람은 함께 민수 씨의 생일 선물을 사려고 합니다.

二個人打算一起買敏秀先生的生日禮物。

❗關鍵語彙：

모레 後天	생일 生日	선물 禮物
준비하다 準備	좋아하다 喜歡	내일 저녁 明天晚上
백화점 百貨公司	고르다 挑選	

❗關鍵文法：

못~ 不能	V+는 것 做~的
N도 N也	V+(으)ㄹ까요? 要不要做~？
A；V+(으)면 若~的話	A；V+(으)ㄹ 것 같다 好像~

第二回 模擬試題 解答表 完全解析

20. MP3 | 55

남자 : 안녕하세요. 영어 수업을 신청하려고 하는데요.
男生：你好。我想要報名英文課。
여자 : 아, 네. 여기 신청서를 써 주시면 됩니다. 몇 시 수업을 듣고 싶으신데요?
女生：啊，好。請幫我填這張報名表就可以了。您想聽幾點的課呢？
남자 : 아침에 수업을 듣고 회사로 출근하려고 하는데 그 시간에 수업이 있을까요?
男生：打算早上聽完課後到公司上班，這段時間有課嗎？
여자 : 그럼요. 7시 수업을 들으시면 되겠네요. 신청서를 쓰신 후에 반을 나누는 시험이 있습니다.
女生：當然有。您可以上7點的課。填完報名表後會有分班測驗。

解題 ① 남자는 수업 신청 방법을 잘 알고 있습니다.
男生很了解報名上課的方法。 不符 → 男生不太了解，所以聽女生說明。

❷ 남자는 출근하기 전에 수업을 듣고 싶어합니다.
男生想要在上班前聽課。 相符 → 他說要先上課再上班。

③ 수업을 신청하기만 하면 시험을 보지 않아도 됩니다.
若只要報名，就可以不用考試。 不符 → 報名後要考分班考試。

④ 아침 시간에는 수업이 없어서 저녁에 수업을 들어야 합니다.
因為早上時間沒有課，所以要在晚上聽課。 不符 → 早上有7點的課可以聽。

答案 ② 남자는 출근하기 전에 수업을 듣고 싶어합니다. 男生想要在上班前聽課。

❶ 關鍵語彙： 수업 課　신청하다 報名、申請　신청서 報名表
쓰다 寫　반 班級　나누다 分配
시험 考試

❶ 關鍵文法： V+(으)려고 하다 打算要做~　V+(으)면 되다 做~就好
V+고 싶다 想做~　V+(으)ㄴ 후에 做~後
A；V+(으)ㄹ까요? ~嗎？

21. MP3 | 56

남자 : 얼굴이 안 좋아 보이는데 어디 아파요?
男生：你的臉色看起來不好，哪裡不舒服嗎？
여자 : 허리가 좀 아파서요. 어제 오랜만에 운동을 했는데 허리에 문제가 생긴 것 같아요.
女生：因為腰有點痛。昨天難得運動了，但可能腰出了點問題。
남자 : 평소에 안 하다가 갑자기 심하게 해서 그런 것 같네요. 병원에 가는 게 좋겠어요.
男生：應該是平常沒運動，突然激烈運動才會那樣。還是去醫院比較好。
여자 : 네. 앞으로는 시간을 정해서 규칙적으로 운동을 해야겠어요.
女生：對。以後要訂定時間規律運動才行。

解題 ❶ 여자는 운동을 하다가 허리를 다쳤습니다.
女生在運動中腰受傷。 相符 → 女生在運動過後，腰有了問題。
② 여자는 앞으로 운동을 하지 않기로 했습니다.
女生決定以後不運動了。 不符 → 女生說以後要定時有規律地運動。
③ 남자는 평소에 운동을 자주 합니다.
男生平時常常運動。 不符 → 文中沒提及男生有沒有運動。
④ 여자는 앞으로 시간이 날 때마다 운동을 하려고 합니다.
女生以後每次有空就打算要運動。 不符 → 女生說以後要定時有規律地運動。

答案 ① 여자는 운동을 하다가 허리를 다쳤습니다. 女生在運動中腰受傷。

❗關鍵語彙：
얼굴 臉、臉色
허리 腰
오랜만에 隔很久
운동하다 運動
평소 平時
갑자기 突然
규칙적으로 規律地
아프다 不舒服、疼痛
문제가 생기다 產生問題
심하게 嚴重地、激烈地
시간을 정하다 訂定時間

❗關鍵文法：
A+아/어/여 보이다 看起來～
A；V+아/어/여서 因為～
V+다가 做～的途中
V+(으)ㄴ 것 같다 好像～（動詞過去式）
V+는 게 좋겠다 做～比較好
V+아/어/여야겠다 應該要做～才行

※ [22~24] **다음을 듣고 여자의 중심 생각을 고르십시오. (각 3점)** MP3 | 57

請聽下列對話，並選出女生的核心想法。（各3分）

22. MP3 | 57

여자 : 그거 인터넷에서 산 책이에요?

女生：那是在網路上買的書嗎？

남자 : 네. 처음 주문해 봤는데 값도 싸고 생각보다 배달이 빨리 돼서 좀 놀랐어요.

男生：對。我是第一次訂，價錢便宜，而且配送也比我想的還要快，覺得有點驚訝。

여자 : 요즘은 배달이 정말 빨라요. 그리고 책은 상품의 품질이나 기능을 걱정하지 않아도 되니까 믿을 수 있어서 좋아요. 그래서 저는 자주 인터넷으로 책을 사요.

女生：最近配送真的很快。而且因為買書可以不用擔心商品的品質或是功能，值得信任很不錯。所以我常常用網路買書。

남자 : 인터넷이 확실히 편리하기는 하네요.

男生：網路的確方便。

解題 女生用網路買書是因為不用擔心品質或功能，所以可以放心訂購。

① 자주 인터넷으로 책을 삽니다.

常用網路買書。

② 인터넷은 편리하고 값이 쌉니다.

網路方便，價錢也便宜。

③ 인터넷으로 물건을 사면 배달이 빠릅니다.

用網路購物的話，配送很快。

❹ 인터넷으로 책을 사면 안심하고 주문할 수 있습니다.

用網路買書的話，可以放心訂購。

答案 ④ 인터넷으로 책을 사면 안심하고 주문할 수 있습니다.

用網路買書的話，可以放心訂購。

❗關鍵語彙：

인터넷 網路	사다 購買	책 書
주문하다 訂購	값 價錢	싸다 便宜
배달되다 配送	빠르다 迅速	상품 商品
품질 品質	기능 功能	걱정하다 擔心
믿다 相信	자주 常常	편리하다 方便
확실히 的確		

❶ **關鍵文法**：V+(으)ㄴ +N （動詞冠形詞用法）

V+아/어/여 보다 試著做～

A；V+지 않아도 되다 不用～也可以

N보다 比起N

V+(으)ㄹ 수 있다 可以做～

A；V+기는 하다 的確～

23. MP3 | 58

여자 : 회사 앞에 새로 생긴 식당에 가 봤어요?

女生：你去過公司前面新開的餐廳了嗎？

남자 : 아니요. 이야기는 많이 들었는데 아직 못 가 봤어요.

男生：沒有。聽說過很多次，但還沒去過。

여자 : 평일 낮에는 싸게 점심을 파는데 맛도 좋아서 손님들이 매일 줄을 길게 서요. 그래서 저도 한 번밖에 못 가 봤어요. 이런 식당이 좀 많이 생겼으면 좋겠어요.

女生：平日白天午餐賣很便宜，而且味道也不錯，客人每天大排長龍。所以我也只去過一次。若這種餐廳多開幾家的話就好了。

남자 : 그러게요. 오늘 점심 시간에 좀 일찍 나가서 그 식당에 가 볼까요?

男生：對啊。今天午餐時間提早出去，去那家餐廳看看如何？

解題 新開的餐廳好吃又便宜，但人太多，女生只去過一次。她希望便宜又好吃的餐廳越來越多。

① 회사 앞에 식당이 새로 생겼습니다.

公司前面新開了一家餐廳。

❷ 맛있고 값싼 식당이 많아졌으면 좋겠습니다.

若好吃又便宜的餐廳變多的話就好了。

③ 새로 생긴 식당에 손님이 많습니다.

新開的餐廳有許多客人。

④ 평일 낮에 가면 점심을 싸게 먹을 수 있습니다.

平日白天去的話，可以便宜吃午餐。

答案 ② 맛있고 값싼 식당이 많아졌으면 좋겠습니다.

若好吃又便宜的餐廳變多的話就好了。

❗關鍵語彙： 새로 新的　　생기다 產生
식당 餐廳　　평일 平日
낮 白天　　싸다 便宜
점심 午餐　　팔다 賣
손님 客人　　줄을 서다 排隊
길게 很長地（副詞）　　맛이 좋다 味道不錯

❗關鍵文法： V＋아/어/여 보다 試著做～
A；V＋았/었/였으면 좋겠다 若能～就好了
N밖에 只有N
V＋아/어/여서 V做完～接著～
V＋(으)ㄹ 까요? 要不要～？

24. MP3 I 59

여자 : 여기 앉으세요. 어디가 아프세요?
女生：請坐。請問哪裡不舒服？
남자 : 머리와 목이 아프고 기침이 나요. 배탈도 자꾸 나고요.
男生：頭和喉嚨痛，會咳嗽。還有也一直拉肚子。
여자 : 열이 좀 있으시네요. 감기입니다. 더워도 찬 거 드시지 말고 따뜻한 물을 많이 드세요. 에어컨을 오래 켜지 마시고요. 여름철 감기는 더워서 주의 사항들을 잘 안 지키다가 오랫동안 낫지 않는 사람들이 많습니다.
女生：您還有點發燒。是感冒。即使熱，還是不要吃冰的，要多喝熱水。冷氣不要開太久。夏季感冒，很多人因為熱的關係，都不遵守注意事項，結果就遲遲好不起來。
남자 : 알겠습니다. 꼭 지킬게요.
男生：我知道了。我一定會遵守。

解題 女生是醫生，她邊說要注意哪些事項，邊說夏天感冒不容易好的原因。她強調要遵守注意事項，感冒才會迅速好起來。
① 감기에 걸리면 따뜻한 물을 많이 마셔야 합니다.

感冒要多喝熱水。

② 여름에 감기에 걸리면 쉽게 낫지 않습니다.

夏天感冒的話不容易好。

❸ 여름철 감기는 더워도 주의 사항을 잘 지켜야 빨리 낫습니다.

夏季感冒，即使熱，還是要遵守注意事項，感冒才會快點好。

④ 감기에 걸렸을 때는 에어컨을 오래 켜면 안 됩니다.

感冒時，冷氣不能開太久。

答案 ③ 여름철 감기는 더워도 주의 사항을 잘 지켜야 빨리 낫습니다.

夏季感冒，即使熱，還是要遵守注意事項，感冒才會快點好。

❗關鍵語彙：

아프다 不舒服、疼痛	머리 頭
목 喉嚨	덥다 熱
따뜻한 물 熱水	여름철 夏季
지키다 遵守	낫다 改善、痊癒
기침이 나다 咳嗽	배탈이 나다 拉肚子
열이 있다 發燒	감기에 걸리다 感冒
찬 거 冰品、冷的食物	드시다 吃（「먹다」的敬語）
에어컨을 켜다 開冷氣	주의 사항 注意事項

❗關鍵文法：

A；V+아/어/여도 即使～還是

V+지 말다 不要做～

A；V+아/어/여서 因為～

V+다가 一直做～結果～

V+(으)ㄹ게요 （話者説，也就是第一人稱説）我會～

V+(으)세요 請做～

※ [25~26] **다음을 듣고 물음에 답하십시오.** MP3 | 60 請聽下列短文並回答問題。

여자 : 잠시 후 공연이 시작됩니다. 관객 여러분께서는 모두 자리에 앉아 주시기 바랍니다. 공연 관람 중에는 휴대 전화를 받을 수 없습니다. 휴대 전화는 전원을 꺼 주시거나 진동으로 해 주십시오. 또한 공연 중 자리를 이동하시거나 옆 사람과 불필요한 이야기를 하지 마시기 바랍니다. 공연 중간에 약 15분의 휴식 시간이 있습니다. 필요한 사항이 있으신 분은 그 시간을 이용해서 문의해 주시면 감사하겠습니다.

女生：表演即將開始。請各位觀眾入坐。表演觀賞中不能接聽行動電話。請將行動電話關機或調成振動。另外，在表演進行當中，請不要移動位子或是與旁邊的人交談說不必要的話。表演中間約有15分鐘的休息時間。如有任何需要的人，請利用休息時間詢問，謝謝。

25. 어떤 이야기를 하고 있는지 고르십시오. (3점) 請選出正在談論的內容。（3分）

① 주문 訂購

❷ 안내 說明

③ 부탁 請求

④ 감사 感謝

解題 女生對表演觀賞規則進行說明。

答案 ② 안내 說明

26. 들은 내용과 같은 것을 고르십시오. (4점) 請選出與聽到的內容一致的選項。（4分）

解題 ① 공연은 쉬는 시간이 없이 계속 진행됩니다.

表演沒有休息時間，一直進行。 不符 → 中間有15分鐘的休息時間。

❷ 휴대 전화는 끄거나 진동으로 바꿔야 합니다.

行動電話要關機或調成震動。 相符

③ 필요할 때는 공연 중에라도 잠깐 자리를 이동할 수 있습니다.

有需要的時候，即使在表演中也能暫時離開位子。 不符 → 表演中不能離開位子。

④ 공연을 서서 봐도 됩니다.

可以站著觀賞表演 不符 → 廣播要觀眾都要坐著觀賞表演。

答案 ② 휴대 전화는 끄거나 진동으로 바꿔야 합니다.

行動電話要關機或調成震動。

❶ 關鍵語彙：

공연 表演	시작되다 開始
관객 觀眾	여러분 各位
자리에 앉다 入座	관람 觀賞
휴대 전화 行動電話	받다 接受
전원을 끄다 關機	진동 振動
이동하다 移動	불필요하다 不必要的
중간 中間	휴식 시간 休息時間
이용하다 利用	문의하다 詢問

❶ 關鍵文法：

A；V+기 바라다 希望～	V+(으)ㄹ 수 없다 不能做～
A；V+거나 或者	V+지 말다 不要做～
A；V+(으)면 若～的話	

※ [27~28] **다음을 듣고 물음에 답하십시오.** MP3 | 61 請聽下列對話，並回答問題。

남자：요즘 퇴근 후에 무슨 일 있어요? 날마다 퇴근 시간이 되면 바쁘게 나가는 것 같아요.

男生：最近下班後有什麼事嗎？好像每天到下班時間就匆忙地出去。

여자：아, 사실은 제가 퇴근 후에 빵 만들기 수업을 들으러 다니고 있어요.

女生：啊，其實我是在下班後去上烘培課。

남자：그래요? 재미있을 것 같은데요. 그런데 어떻게 빵을 직접 만들 생각을 했어요?

男生：是嗎？聽起來很有趣。但你是怎麼會想到要親手做麵包的呢？

여자：요즘 물가가 올라서 빵 값도 비싸졌잖아요. 그리고 내 손으로 직접 만들면 안심하고 먹을 수도 있으니까요.

女生：最近物價上漲，麵包也變貴了不是嗎。而且因為如果親手做，就可以放心吃。

남자：와, 나중에 결혼하게 되면 남편과 아이들이 행복하겠어요.

男生：哇，以後結婚的話，先生和孩子一定會很幸福。

여자：사실 처음에는 결혼 준비를 위해서 배우기 시작했는데 지금은 빵 만드는 게 너무 즐거워요. 열심히 연습해서 나중에 제 가게를 열고 싶어요.

女生：其實一開始是為了要準備結婚才開始學的，但現在很享受烘培。我要認真練習，以後想開自己的店。

27. 두 사람이 무엇에 대해 이야기하고 있는지 고르십시오. (3점)

請選出二人正在談論的話題。（3分）

❶ 퇴근 후의 활동 下班後的活動

② 결혼 준비 結婚準備

③ 빵 값이 비싼 이유 麵包價格貴的原因

④ 나중에 하고 싶은 일 以後想做的事

解題 二個人在談女生下班後做的活動，就是去上烘培課。

答案 ① 퇴근 후의 활동 下班後的活動

28. 들은 내용과 같은 것을 고르십시오. (3점) 請選出與聽到的內容一致的選項。（3分）

解題 ① 여자는 아이에게 주려고 빵을 만듭니다.

女生打算給孩子，所以做麵包。 不符 → 從二人的對話內容可以知道女生還沒結婚。

② 물가가 올랐지만 빵 값은 그대로입니다.

物價上漲，但麵包價格不變。 不符 → 麵包價也跟著物價一起上漲。

❸ 직접 빵을 만들면 빵 안에 넣는 재료에 대해서 걱정하지 않아도 됩니다.

親手做麵包的話，就不必擔心麵包裡放的材料。 相符 → 女生說親手做麵包，可以放心吃。

④ 여자는 나중에도 계속 직장 생활을 하고 싶어합니다.

女生以後也想繼續上班。 不符 → 女生說以後想開自己的店。

答案 ③ 직접 빵을 만들면 빵 안에 넣는 재료에 대해서 걱정하지 않아도 됩니다.

親手做麵包的話，就不必擔心麵包裡放的材料。

❗關鍵語彙：

퇴근하다 下班	후 後	빵 麵包
만들기 製作	수업 上課	듣다 聽
직접 親自、直接	빵 값 麵包價格	비싸다 貴
내 손 親手	안심하다 放心	먹다 吃
결혼하다 結婚	나중에 以後	남편 先生
아이 小孩	배우다 學習	즐겁다 開心
가게를 열다 開店	결혼 준비 結婚準備	
물가가 오르다 物價上漲		

❶ **關鍵文法：** A；V+(으)면 若~的話

V+는 것 같다 好像~

V+(으)러 가다/오다/다니다 去 / 來 / 往返做~

A；V+(으)ㄹ 것 같다 應該會~

A+아/어/여지다 （形容詞）變得~

A；V+겠 （猜測）應該~

A；V+(으)니까 因為~

V+게 되다 （動詞）變得~

N을/를 위해서 為了N

V+기 시작하다 開始做~

V+는 것 做~的

V+고 싶다 想做~

A；V+아/어/여서 因為~

※ [29~30] **다음을 듣고 물음에 답하십시오.** MP3 | 62 請聽下列對話，並回答問題。

여자 : 안녕하세요. 어린이 직업 체험관이지요? 몇 가지 문의하려고 전화했는데요.

女生：你好。是兒童職業體驗館對嗎？想詢問幾個問題所以打電話過來。

남자 : 네, 말씀하십시오.

男生：是，請說。

여자 : 저희 아이가 초등학교 2학년인데, 여러 직업들에 관심이 많아서 한 번 체험 활동을 시켜 보려고요. 초등학생도 신청할 수 있어요?

女生：我家孩子現在小學2年級，他對各種職業都很有興趣，所以想讓他做看看體驗活動。小學生也可以報名嗎？

남자 : 그럼요, 신청할 수 있습니다. 다양한 직업 체험을 통해서 자기에게 맞는 직업을 찾을 수 있습니다. 그리고 직업 활동을 하면 돈을 버는데 자기가 번 돈을 은행에 저금하면서 돈의 가치에 대해서도 생각해 볼 수 있습니다.

男生：當然，可以報名。透過各式各樣的職業體驗，可以找到適合自己的職業。而且做職業活動的話能賺錢，然後把自己賺的錢存進銀行，也可以試著思考關於錢的價值。

여자 : 그럼 한 번 신청해 봐야겠네요. 인터넷에서 신청해도 되지요?
女生：那麼，應該要報名看看。可以在網路上報名對吧？
남자 : 네, 됩니다. 이번 주까지 신청하시면 입장료를 10% 할인해 드립니다.
男生：是，可以。在這週內報名的話，入場費給您10%的優惠。

29. 여자는 왜 남자에게 전화했습니까? (3점) 女生為什麼打電話給男生？（3分）

① 직업 체험 입장료를 문의하려고 想要詢問職業體驗的入場費
② 아이와 함께 직업 체험에 참가하려고 想要與孩子一起參加職業體驗
❸ 직업 체험에 대해 문의하려고 想要詢問關於職業體驗
④ 직업 체험 신청 날짜를 문의하려고 想要詢問職業體驗的報名日期

解題 女生打電話詢問關於職業體驗的報名年齡、體驗細節等。

答案 ③ 직업 체험에 대해 문의하려고 想要詢問關於職業體驗

30. 들은 내용과 같은 것을 고르십시오. (4점) 請選出和對話內容一致的選項。（4分）

解題 ① 초등학교 3학년부터 신청할 수 있습니다.
國小3年級開始可以報名。 不符 → 國小2年級可以報名。
❷ 이번 주에 신청하면 입장료를 10% 싸게 살 수 있습니다.
這週報名，入場費會便宜10%。 相符 → 有10%的優惠。
③ 직업 활동을 해서 받은 돈은 집에 가지고 갑니다.
做職業活動領到的錢可以帶回家。 不符 → 要存在銀行裡。
④ 전화로 신청해야 합니다.
需要用電話報名。 不符 → 可以用網路報名。

答案 ② 이번 주에 신청하면 입장료를 10% 싸게 살 수 있습니다.
這週報名，入場費會便宜10%。

❗關鍵語彙：
어린이 兒童
직업 職業
체험관 體驗館
문의하다 詢問
전화하다 講電話
초등학교 國小
2학년 2年級
아이 孩子
신청하다 報名
돈을 벌다 賺錢

저금하다 存款	가치 價值
인터넷 網路	이번 주 這週
입장료 入場費	할인하다 折扣
싸게 사다 便宜買	가지고 가다 帶走
관심이 많다 很有興趣	체험 활동 體驗活動
시키다 讓（使喚）～做	

❗關鍵文法：

N (이)지요? 是N對吧？	V+(으)려고 想要做～所以
A+아/어/여 보다 試著做～	V+(으)려고 하다 打算要做～
V+(으)ㄹ 수 있다 可以做～	N을/를 통해서 透過N
A；V+(으)면 若～的話	N에 대해서 關於N
V+아/어/여도 되다 也可以做～	V+아/어/여 주다 幫忙做～

TOPIK I 閱讀（第31題～第70題）

※ [31~33] 무엇에 대한 이야기입니까? 〈보기〉와 같이 알맞은 것을 고르십시오. (각 2점)

是關於什麼的敘述？請參考<範例>並選出適合的選項。（各2分）

31.

오늘은 수요일입니다. 내일은 목요일입니다. 今天是星期三。明天是星期四。

① 직업 職業　❷ 요일 星期　③ 나라 國家　④ 주말 週末

解題 星期三、星期四都是在說「요일」（星期）。

答案 ② 요일 星期

❗關鍵語彙： 수요일 星期三　목요일 星期四

❗關鍵文法： N은/는 （對N來說）N是　N이다 是N

32.

형은 회사원입니다. 누나는 선생님입니다. 哥哥是上班族。姐姐是老師。

① 시간 時間　② 약속 約定　③ 고향 家鄉　❹ 가족 家人

解題 哥哥、姐姐都是在說「가족」（家人）。

答案 ④ 가족 家人

❗關鍵語彙： 형 哥哥（男生稱呼哥哥）　누나 姐姐（男生稱呼姐姐）

33.

봄에는 따뜻하지만 바람이 많이 붑니다. 가을에는 시원하고 날씨가 맑습니다. 春天溫暖，但颳風。秋天涼快，且天氣晴朗。

① 휴일 假日　② 요일 星期　③ 고향 家鄉　❹ 계절 季節

解題 句子對春天及秋天兩個「계절」（季節）的天氣特色進行說明。

答案 ④ 계절 季節

❗關鍵語彙： 봄 春天　따뜻하다 溫暖　가을 秋天
시원하다 涼快　바람이 불다 颳風　날씨가 맑다 天氣晴朗

❶ **關鍵文法：** N（時間）에　在N（時間）的時候
A；V+지만　雖然～
A；V+고　是～而且

※ [34~39] 〈보기〉와 같이 (　　　　)에 들어갈 가장 알맞은 것을 고르십시오.

請參考<範例>並選出適合填入（　　　　）的選項。

34. (2점) (2分)

친구를 만납니다. 친구(　　　　) 전화를 합니다.　見朋友。打電話（　　　　）朋友。

❶ 에게 給　② 과 和　③ 에 往　④ 에서 在

解題 這一題要找適合的助詞。「에게」（給）是助詞，與「한테」（給）相比為更書面的用法。指主詞向某個人做某種動作時，動作的對象。

答案 ① 에게 給

❶ **關鍵語彙：** 친구 朋友　　전화하다 講電話

❶ **關鍵文法：** N에게 = N한테　向N、給N、對N

35. (2점) (2分)

날씨가 덥습니다. 에어컨을 (　　　　). 天氣熱。把冷氣（　　　　）。

❶ 켭니다 打開　② 끕니다 關掉　③ 닦습니다 擦拭　④ 엽니다 打開

解題 這一題需要知道適合用在開冷氣上的動詞。天氣熱需要開冷氣，開冷氣的韓文是「에어컨을 켜다」。開電腦、開燈等都使用「켜다」這個動詞。「열다」也是「開」的意思，但是是使用在「開窗戶」、「打開箱子」等。

答案 ① 켭니다 開

❶ **關鍵語彙：** 날씨 天氣　　덥다 熱
에어컨 冷氣　　켜다 開

第二回　模擬試題　解答表　完全解析

36. (2점) (2分)

머리를 자릅니다. (　　　　)에 갑니다. 剪頭髮。去（　　　　）。

① 서점 書店　② 가게 商店　❸ 미용실 美容院　④ 은행 銀行

解題 這一題要知道「머리를 자르다」（剪頭髮）這個單字，而剪頭髮要去「미용실」（美容院）。

答案 ③ 미용실 美容院

❗關鍵語彙： 머리를 자르다 剪頭髮　미용실 美容院

37. (3점) (3分)

출퇴근 시간입니다. 그래서 길이 많이 (　　　　). 是上下班時間。所以路很（　　　　）。

① 모입니다 聚集　② 걸립니다 花（時間）

③ 기다립니다 等待　❹ 막힙니다 塞

解題 這一題要知道「출퇴근 시간」（上下班時間）的意思，才可以猜得出下一句「길이 막히다」（路塞）。

答案 ④ 막힙니다 塞

❗關鍵語彙： 출퇴근 시간 上下班時間　길이 막히다 路塞（塞車）

38. (3점) (3分)

저는 음악을 좋아합니다. 시간이 있을 때마다 (　　　　) 음악을 듣습니다. 我喜歡音樂。每次有空（　　　　）聽音樂。

① 거의 幾乎　② 제일 最　③ 나중에 以後　❹ 언제나 總是

解題 這一題在問常用的副詞。要注意「마다」（每次、每當）的意思。「마다」（每當）後面常接「언제나」（總是、無論何時）、「항상」（經常）、「늘」（總是）等副詞。

答案 ④ 언제나 總是

❗關鍵語彙：음악 音樂　　좋아하다 喜歡　　마다 每次、每當
거의 幾乎　　제일 最　　나중에 以後
시간이 있다 有空　　음악을 듣다 聽音樂
언제나 總是、無論何時

❗關鍵文法：A；V+(으)ㄹ 때마다 每當～的時候

39. (2점) (2分)

꽃이 많이 피었습니다. 경치가 너무 (　　　　).
滿地開花。風景太（　　　　）。

① 봅니다 看
❷ 아름답습니다 美麗
③ 높습니다 高
④ 찍습니다 拍

解題 要知道形容風景的形容詞，如「아름답다」（美麗）、「예쁘다」（漂亮）等。

答案 ② 아름답습니다 美麗

❗關鍵語彙：꽃이 피다 花開　　경치가 아름답다 風景優美

[40~42] 다음을 읽고 맞지 <u>않는</u> 것을 고르십시오. (각 3점)

請閱讀下文並選出不正確的選項。（各3分）

40.

제주도 캠핑 여행 상품 안내

☆ 날 짜 : 4월 15일 (목) ~ 4월 18일 (일)
☆ 조 건 : 전기 및 무선 인터넷 무료
☆ 비 용 : 1인 100,000원 (12세 이하는 반값)

※식사 재료는 무료로 드리지 않습니다.

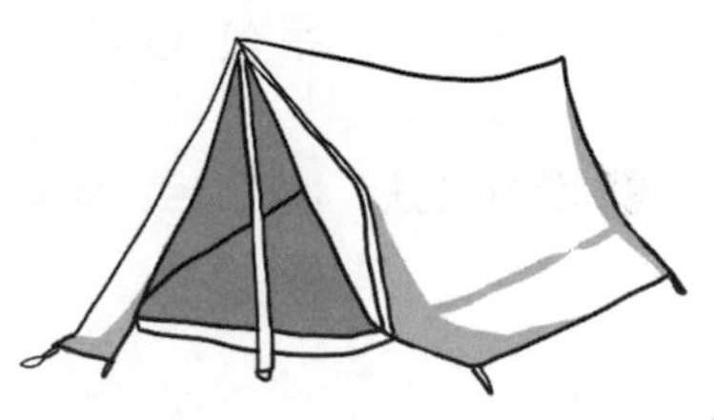

濟州島露營旅遊商品介紹

☆ 日 期：4月15日（四）～4月18日（日）

☆ 條 件：免費提供電與無線網路

☆ 價 格：1人100,000韓元（12歲以下半價）

※ 食材不會免費提供。

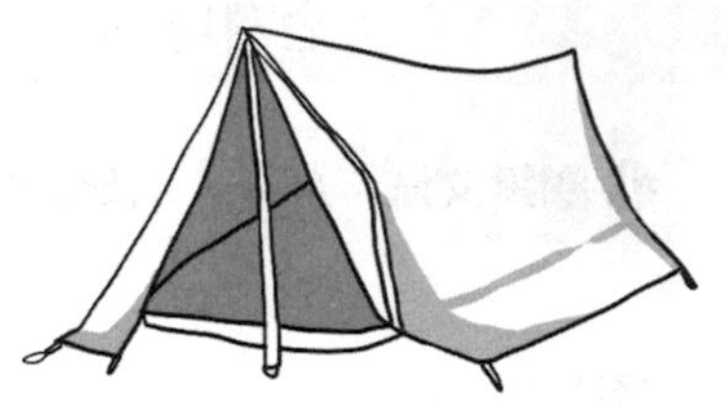

解題 ① 12살이 안 된 어린이는 돈을 반만 내면 됩니다.

不到12歲的兒童付半價即可。 相符 → 12歲以下半價。

❷ 여행은 5일 동안 갔다 옵니다.

旅行在5天內回來。 不符 → 15日到18日只有4天。

③ 돈을 내지 않고 무선 인터넷을 사용할 수 있습니다.

使用無線網路不用付錢。 相符 → 無線網路不用錢，免費提供。

④ 음식을 만들 때 재료가 필요하면 돈을 내고 사야 합니다.

煮菜時若需要材料，要付錢買。 相符 → 食材不會免費提供。

答案 ② 여행은 5일 동안 갔다 옵니다. 旅行在5天內回來。

❶ 關鍵語彙：

제주도 濟州島	캠핑 露營
안내 介紹、說明	날짜 日期
조건 條件	전기 電
가격 價格	이하 以下
반값 半價	재료 材料
무료 免費	여행 상품 旅遊商品
무선 인터넷 無線網路	

❶ 關鍵文法： N(으)로 用N

41.

세계 도시의 날씨					
서울	도쿄	뉴욕	베이징	런던	방콕
		-5			35

世界城市的天氣					
首爾	東京	紐約	北京	倫敦	曼谷
		-5			35

解題 這一題要知道天氣相關語彙。

① 도쿄와 베이징은 날씨가 흐립니다.

東京與北京天氣陰。 相符 → 二個城市都有雲的圖片，表示陰天。

② 방콕은 기온이 가장 높습니다.

曼谷氣溫最高。 相符 → 曼谷氣溫35度，為六個城市中最高。

③ 런던은 비가 오지만 서울은 맑은 날씨입니다.

倫敦雖然下雨，但首爾天氣晴朗。 相符 → 句子符合二個城市圖片中的天氣狀況。

❹ 뉴욕은 날씨가 춥고 바람이 붑니다.

紐約天氣寒冷且颳風。 不符 → 紐約寒冷，但有太陽圖片，表示天氣晴朗。

答案 ④ 뉴욕은 날씨가 춥고 바람이 붑니다. 紐約天氣寒冷且颳風。

❗關鍵語彙： 날씨 天氣　흐리다 天陰　기온 氣溫
높다 高　비가 오다 下雨　맑다 晴朗
춥다 寒冷　덥다 熱　바람이 불다 颳風

❗關鍵文法： A；V+지만 雖然～　A；V+고～ 還有～

第二回　模擬試題　解答表　完全解析

42.

최신 영화 무료 상영

◆ 제　목 : 써니

◆ 시　간 : 이번 주 목요일 (10/20) 17 : 00

◆ 장　소 : 학교 대강당

◆ 관객 수 : 200명 (12세 이상 입장 가능)

※ 좌석이 다 차면 입장할 수 없습니다.

最新電影免費上映

◆ 片　名：Sunny

◆ 時　間：本週四（10 / 20）17：00

◆ 場　所：學校大禮堂

◆ 觀眾數：200名（12歲以上可以入場）

※ 座位坐滿就無法入場。

解題 ① 목요일 오후 5시에 무료로 영화를 보여 줍니다.

週四下午5點免費給人看電影。 相符 → 上映時間為10 / 20的17:00，17:00指下午5點沒錯。

② 이 학교 학생이 아니라도 영화를 볼 수 있습니다.

即使不是這間學校的學生，還是可以看電影。 相符 → 12歲以上都可以看。

③ 영화는 학교 대강당에서 합니다.

電影在學校大禮堂上映。 相符 → 上面有寫電影上映場所在學校大禮堂。

❹ 좌석 수와 상관없이 아무 때나 가도 영화를 볼 수 있습니다.

與座位數無關，任何時候去都可以看電影。 不符 → 座位坐滿就不能入場。

答案 ④ 좌석 수와 상관없이 아무 때나 가도 영화를 볼 수 있습니다.

與座位數無關，任何時候去都可以看電影。

❶ 關鍵語彙： 최신 最新　영화 電影　무료 免費
상영 上映　이번 주 這週　목요일 星期四
대강당 大禮堂　관객 觀眾　입장 入場
좌석 座位　수 數　차다 滿
아무 때나 隨時

❶ 關鍵文法： A；V+아/어/ 여도 即使～還是～
V+(으)ㄹ 수 있다/없다 可以 / 不能做～
V+아/어/여 주다 幫忙做～
N와/과 상관없이 與N無關

※ [43~45] **다음의 내용과 같은 것을 고르십시오.** 請選出和下列短文內容一致的選項。

43. (3점)（3分）

> 올해 한국어 말하기 대회가 있습니다. 작년에도 있었지만 저는 나가지 않았습니다. 이번에는 참가하려고 합니다. 한국 친구가 날마다 제가 준비하는 것을 도와주고 있습니다.
>
> 今年有韓國語演講大賽。去年也有，但我沒有參賽。這次打算要參加。韓國朋友每天都在幫我準備。

解題 這一題要了解短文大致上的內容，也要知道相關語彙。

① 작년에 말하기 대회에 참가했습니다.
去年參加了演講大賽。 不符 → 去年有演講大賽，但沒參加。

② 저는 한국 친구를 도와주고 있습니다.
我在幫助韓國朋友。 不符 → 韓國朋友在幫助我。

③ 작년과 올해 모두 말하기 대회에 참가합니다.
去年和今年都參加演講大賽。 不符 → 去年沒參加。

❹ 올해 말하기 대회에 참가하기 위해서 노력하고 있습니다.
為了要參加今年的演講大賽而正在努力。 相符 → 這次打算要參加，而正為此努力。

答案 ④ 올해 말하기 대회에 참가하기 위해서 노력하고 있습니다.
為了要參加今年的演講大賽而正在努力。

❗關鍵語彙：올해 今年　작년 去年　나가다 出去
참가하다 參加　날마다 每天　준비하다 準備
도와주다 幫忙　노력하다 努力　말하기 대회 演講大賽
한국 친구 韓國朋友

❗關鍵文法：A；V+지만 雖然～　A；V+지 않다 不～
V+(으)려고 하다 打算要做～　V+는 것 做～的
V+아/어/여 주다 幫忙做～　V+고 있다 正在做～

44. (2점) (2分)

> 집 근처에 큰 호수가 있습니다. 경치가 아름답고 조용해서 시간이 나면 항상 거기에 갑니다. 일주일에 세 번 정도 갑니다. 호수를 보면서 산책하면 즐거워집니다.
>
> 家附近有很大的湖。風景優美且安靜，我一有空就經常去那裡。一個星期大約去三次。邊看著湖水邊散步，心情會很愉快。

解題 要知道「-(으)면 항상」（若～的話，經常～）和「-(으)ㄹ 때마다 언제나」（若～的話，總是～）是相同的意思。

❶ 시간이 있을 때마다 언제나 호수에 갑니다.
每次有空就去湖邊。 相符

② 집에서 호수까지 멉니다.
從家裡到湖邊很遠。 不符 → 湖邊在家附近，離家裡很近。

③ 바빠서 호수에 자주 갈 수 없습니다.
很忙，因此不能常去湖邊。 不符 → 一星期去三次，常去。

④ 기분이 좋을 때 호수를 산책합니다.
心情好的時候，會繞湖水散步。 不符 → 繞湖水散步，心情會變好。

答案 ① 시간이 있을 때마다 언제나 호수에 갑니다. 每次有空就去湖邊。

❗關鍵語彙：근처 附近　경치 風景、景觀　아름답다 美麗
조용하다 安靜　거기 那裡　호수 湖水
일주일 一星期　세 번 三次　정도 程度、左右
산책하다 散步　즐거워지다 變開心
시간이 나다 = 시간이 있다 有空　항상 = 언제나 總是

❗**關鍵文法**：A；V+(으)면 若～的話
V+(으)면서 邊做～邊做～
A+아/어/여지다 變得～
N（場所）에서 N（場所）까지 從N（場所）到N（場所）
A；V+(으)ㄹ 때마다 每當～的時候
A；V+아/어/여서 因為～
V+(으)ㄹ 수 없다 無法做～

45. (3점) (3分)

이번 주말에 친구들과 놀이공원에 놀러 가려고 합니다. 그곳에 가려면 먼저 기차를 타고 50분쯤 간 후에 다시 버스로 갈아타야 합니다. 한 시간쯤 걸릴 것입니다. 우리는 주말 아침에 일찍 기차역에서 만나기로 했습니다.

這週末要和朋友們去遊樂園玩。要去那裡的話，得先搭火車搭50分鐘左右，再轉搭公車。大約要花一小時。我們約好週末早上提早在火車站見面。

解題 ① 놀이공원까지 한 번에 갈 수 있습니다.
一次就可以到遊樂園。 不符 → 要轉搭公車。

❷ 나는 친구들을 만나서 같이 갈 것입니다.
我要和朋友們見面之後再一起去。 相符 → 和朋友們約好在火車站見面，表示要一起搭火車去。

③ 놀이공원에 가려면 버스를 오랫동안 타야 합니다.
要去遊樂園的話，要搭長時間的公車。 不符 → 要搭長時間的火車，公車只有10分鐘以內的車程。

④ 나는 친구들과 기차역에서 만났습니다.
我已經和朋友們在火車站見了面。 不符 → 約好要見面。

答案 ② 나는 친구들을 만나서 같이 갈 것입니다. 我要和朋友們見面之後再一起去。

❗**關鍵語彙**：

이번 這次	주말 週末	놀이공원 遊樂園
놀러 가다 去玩	먼저 首先	다시 再
기차를 타다 搭火車	갈아타다 轉搭	걸리다 花（時間）
일찍 提早	기차역 火車站	만나다 見面

❶ **關鍵文法**：V+(으)러 가다 去做～

V+(으)려고 하다 打算做～

V+(으)려면 要做～的話

N（時間）에 在N（時間）的時候

V+(으)ㄴ 후에 做～之後

A；V+아/어/여야 하다 必須要做～

A；V+(으)ㄹ 것이다 可能會～

V+기로 하다 （和別人或和自己）約好要做～

N（場所）에서 在N（場所）

※ [46~48] **다음을 읽고 중심 생각을 고르십시오.** 請閱讀下列短文並選出文章的主旨。

46. (3점) (3分)

> 저는 기분이 나쁠 때 쇼핑을 합니다. 어제 저녁에도 친구를 만나서 옷과 신발을 샀습니다. 그런데 돈을 너무 많이 써서 후회했습니다. 앞으로는 기분이 안 좋아도 쇼핑을 너무 많이 하지 말아야겠습니다.
>
> 我心情不好的時候會購物。昨晚也和朋友見了面，買了衣服和鞋子。但花太多錢了，後悔不已。以後即使心情不好，還是不應該買太多東西。

① 어제 저녁에 기분이 나빴습니다. 昨晚心情不好。

② 어제 쇼핑을 했습니다. 昨天購物了。

❸ 앞으로 돈을 너무 많이 쓰지 말아야 합니다. 以後不該花太多錢。

④ 돈을 많이 쓴 후에 후회합니다. 花了很多錢後，感到後悔。

解題 最後一句就是短文的主旨。對衝動購物後感到後悔，並決定以後要控制自己購物的習慣。

答案 ③ 앞으로 돈을 너무 많이 쓰지 말아야 합니다. 以後不該花太多錢。

❶ **關鍵語彙**：

쇼핑하다 購物	어제 昨天	저녁 晚上
사다 買	옷 衣服	신발 鞋子
후회하다 後悔	친구를 만나다 見朋友	
기분이 나쁘다 心情不好		

❶ 關鍵文法： A；V+(으)ㄹ 때 在～的時候　　V+아/어/여서 做完～後接著
A；V+아/어/여서 因為～　　A；V+아/어/여도 即使～
V+지 말다 不應該～

47. (3점) (3分)

저는 길을 잘 못 찾는 편입니다. 여러 번 가 본 적이 있는 길도 자주 잃어버립니다. 그런데 요즘은 휴대전화로 지도를 보고 찾아갈 수 있습니다. 휴대전화의 지도가 길을 가르쳐 주니까 별로 걱정하지 않게 되었습니다.

我算是不太會找路的人。連去過很多次的地方都常常迷路。但是最近可以用手機看地圖找路。手機的地圖教我路線，就不太擔心了。

① 자주 길을 잃어버리는 편입니다.
算是常常迷路的人。

❷ 휴대전화에 있는 지도로 길을 찾을 수 있게 되었습니다.
可以使用手機裡面的地圖找到路。

③ 길을 잘 못 찾아서 걱정이 됩니다.
不太會找路，所以很擔心。

④ 휴대전화로 지도를 보지 않으면 길을 찾을 수 없습니다.
不看手機的地圖的話，找不到路。

解題 短文中說話者不太會認路，以前常常迷路。但現在可以使用手機的地圖程式找路，外出就不必再擔心。

答案 ② 휴대전화에 있는 지도로 길을 찾을 수 있게 되었습니다.
可以使用手機裡面的地圖找到路。

❶ 關鍵語彙： 휴대전화 手機　　지도 地圖
찾아가다 找去　　별로 不太
걱정하다 擔心　　가르쳐 주다 教、告訴
길을 찾다 找路 ↔ 길을 잃어버리다 迷路

❶ 關鍵文法： A；V+(으)ㄴ/는 편이다 偏向是～　　V+(으)ㄴ 적이 있다 曾做過～
별로 ～지 않다 不太～　　A；V+(으)니까 因為～
V+(으)ㄹ 수 있다 可以做～

48. (2점) (2分)

며칠 전에 백화점에서 원피스를 하나 샀습니다. 오늘 원피스를 입었는데 색깔이 너무 마음에 들지 않았습니다. 내일 가서 다른 색으로 바꾸려고 합니다. 前幾天在百貨公司買了一件洋裝。今天穿了那件洋裝，但非常不喜歡顏色。明天打算要去換成別的顏色。

❶ 옷이 마음에 들지 않아서 바꾸려고 합니다. 不喜歡衣服，因此打算要換。

② 저는 원피스의 색깔을 좋아합니다. 我喜歡洋裝的顏色。

③ 내일 다시 백화점에 갈 겁니다. 明天要再去百貨公司。

④ 이 원피스가 마음에 들지 않습니다. 不喜歡這件洋裝。

解題 短文說不喜歡衣服的顏色，打算明天要去換顏色。

答案 ① 옷이 마음에 들지 않아서 바꾸려고 합니다. 不喜歡衣服，因此打算要換。

❶關鍵語彙： 백화점 百貨公司　원피스 洋裝　사다 買
입다 穿　내일 明天　바꾸다 換
색깔 = 색 顏色　마음에 들다 喜歡、滿意

❶關鍵文法： A；V+지 않다 不～　V+(으)려고 하다 打算要做～

※ [49~50] **다음을 읽고 물음에 답하십시오. (각 2점)** 請閱讀以下短文並回答問題。（各2分）

우리 회사는 일 년에 한 번씩 회사 직원들 모두가 함께 여행을 떠납니다. 직원들은 돈을 낼 필요가 없습니다. 비행기표부터 숙소와 식사까지 모두 회사에서 (㉠ 비용을 냅니다). 직원들끼리 가고 싶은 곳을 정해서 회사에 알려 주면 됩니다. 보통 경치가 아름다운 곳에 가서 쉬기도 하고 구경도 합니다. 我們公司一年一度所有員工都會一起去旅遊。員工不需要出錢。從機票到住宿及餐點全都由公司（㉠ 付費）。員工們決定想去的地方告知公司即可。通常是去風景優美的地方休息及觀賞風景。

49. ㉠에 들어갈 알맞은 말을 고르십시오. 請選出適合填入㉠的話。

① 문의합니다 詢問　② 알려 줍니다 告知

❸ 비용을 냅니다 付費　④ 결정합니다 決定

解題 ㉠的前一句說員工不用出錢，所以後一句提出由誰付費用。

答案 ③ 비용을 냅니다 付費

50. 이 글의 내용과 같은 것을 고르십시오. 請選出和文章內容一致的選項。

解題 ① 보통 맛있는 음식이 많은 곳으로 여행을 갑니다.

一般到美食多的地方去旅行。 不符 → 一般去風景優美的地方。

❷ 여행에서 먹는 것과 자는 것 모두 무료입니다.

在旅行中吃的和住的都免費。 相符 → 員工不用付錢。

③여행 장소는 회사에서 결정합니다.

旅行地點由公司決定。 不符 → 員工決定並告知公司。

④ 여행을 가지 않는 직원들도 많습니다.

也有不少員工不去旅行。 不符 → 全體一起去。

答案 ② 여행에서 먹는 것과 자는 것 모두 무료입니다.

在旅行中吃的和住的都免費。

❗關鍵語彙：

회사 公司	직원 員工、職員
모두 都	함께 一起
곳 地方	비행기표 機票
숙소 住宿處、宿舍	식사 餐
정하다 決定	알려주다 告知
쉬다 休息	구경하다 觀賞、逛
여행을 떠나다 去旅行	돈을 내다 付錢
비용을 내다 付費	경치가 아름답다 風景優美

❗關鍵文法： A；V+(으)ㄹ 필요가 없다 不需要～

N부터 N까지 從N到N

V+고 싶다 想做～

A；V+(으)면 되다 ～即可、～就好

※ [51~52] **다음을 읽고 물음에 답하십시오.** 請閱讀以下短文並回答問題。

> 많은 사람들이 오랜 시간 동안 휴대전화를 사용합니다. 휴대전화로 자료를 찾으려고 이용하는 사람도 있고 영화나 드라마를 보는 사람들도 많습니다. 그런데 휴대전화를 사용할 때 보통 고개를 숙이게 됩니다. 이런 자세는 목 건강에 (㉠ 해롭기 때문에) 50분 정도 사용 후에 10분쯤 쉬는 것이 좋습니다.
>
> 很多人長時間使用手機。有人用手機查資料，也有很多人用手機看電影或電視劇。但是使用手機時，通常會低頭。這姿勢（㉠ 因為有害）頸部健康，因此最好使用50分鐘後休息10分鐘左右。

51. ㉠에 들어갈 알맞은 말을 고르십시오. (3점) 請選出適合填入㉠ 的話。（3分）

① 좋지 않지만 雖然不好　　② 좋기 때문에 因為不錯

③ 해롭지만 雖然有害　　❹ 해롭기 때문에 因為有害

解題 使用手機時姿勢有害頸部健康，為此使用50分鐘後休息10分鐘比較好。㉠要填入「해롭기 때문에」（因為有害）。

答案 ④ 해롭기 때문에 因為有害

52. 무엇에 대한 이야기인지 맞는 것을 고르십시오. (2점)
是關於什麼的敘述，請選出適合的選項。（2分）

① 목 건강이 나빠지는 이유 頸部變不健康的原因

❷ 휴대전화를 사용할 때 조심할 것 使用手機時該注意的事項

③ 휴대전화를 이용하는 목적 使用手機的目的

④ 휴대전화를 사용하는 방법 手機使用方法

解題 短文說手機使用時可能發生的問題及解決的方法，因此可以說是注意事項。

答案 ② 휴대전화를 사용할 때 주의할 것 使用手機時該注意的事項

❶ 關鍵語彙：

요즘 最近	휴대 전화 手機	사용하다 使用
이용하다 利用	머리 頭部	목 頸部
자세 姿勢	건강 健康	해롭다 有害
쉬다 休息	나빠지다 變壞	조심하다 注意
목적 目的	방법 方法	고개를 숙이다 低頭

❶ **關鍵文法：** N 동안 N（時間、期間）當中 | N(으)로 用N
V+(으)려고 想要做～ | A；V+(으)ㄹ 때 ～的時候
V+게 되다 （動詞）變得～ | A；V+기 때문에 因為～
N 후에 N之後 | V+는 것이 좋다 做～比較好
A+아/어/여지다 （形容詞）變得～

※ [53~54] **다음을 읽고 물음에 답하십시오.** 請閱讀以下短文並回答問題。

저에게는 자주 잊어버리는 나쁜 습관이 있습니다. 사람들과 만날 약속을 해도 날짜나 시간을 기억하지 못해서 실수를 한 적이 여러 번 있었습니다. 그래서 (㉠ 잊어버리지 않으려고) 수첩을 샀습니다. 수첩에 해야 할 일이나 약속, 친구들의 생일을 미리 써 놓습니다. 또 여행을 가면 느낀 것을 적어 놓기도 합니다. 지금은 어디를 가든지 수첩을 가지고 다니게 되었습니다.

我有常常忘記的壞習慣。和別人約定要見面，但卻因不記得日期或時間而屢次犯錯。所以（㉠ 為了不要忘記），買了小筆記本。小筆記本上先寫好要做的事或約定、朋友的生日等。還有如果去旅行的話就會記下感觸。現在無論去哪裡都把筆記本帶在身上。

53. ㉠에 들어갈 알맞은 말을 고르십시오. (2점) 請選出適合填入㉠ 的話。（2分）

① 잃어버리지만 雖然遺失
② 잃어버리는 遺失的
❸ 잊어버리지 않으려고 為了不要忘記
④ 잊어버려도 되니까 可以忘記，所以

解題 這一題在問買筆記本的目的。過去因為忘記事情而常犯錯，所以為了不要常常忘記事情而買了筆記本。

答案 ③ 잊어버리지 않으려고 為了不要忘記

54. 이 글의 내용과 같은 것을 고르십시오. (3점) 請選出和文章內容一致的選項。（3分）

解題 ① 여행갈 때는 수첩을 가지고 가지 않습니다.
去旅行時，不帶筆記本。 不符 → 無論去哪裡都帶在身上。

② 수첩에는 보통 일기를 씁니다.
筆記本上通常寫日記。 不符 → 一般記下約定、旅遊感想等。

❸ 예전에 잊어버리는 습관 때문에 실수를 많이 했습니다.

以前因為忘記的習慣，多次犯錯。 相符 → 過去因常常忘記事情，常犯錯。

④ 요즘은 외출할 때 가끔 수첩을 가지고 나갑니다.

最近外出時偶爾會帶筆記本出去。 不符 → 不管去哪裡都帶在身上。

答案 ③ 예전에 잊어버리는 습관 때문에 실수를 많이 했습니다.

以前因為忘記的習慣，多次犯錯。

❗ **關鍵語彙：**

잊어버리다 忘記	습관 習慣	약속 約定
날짜 日期	시간 時間	기억하다 記住
여러 번 多次	수첩 小筆記本	할 일 該做的事
생일 生日	미리 事先	느낌 感受
실수를 하다 失誤、犯錯		
가지고 다니다 帶著到處走		

❗ **關鍵文法：**

V+지 못하다 不能～	V+(으)ㄴ 적이 있다 曾經做～
V+(으)려고 為了要做～	A；V+기도 하다 也會～
V+게 되다 （動詞）變得～	
疑問代名詞+A；V+든지 無論+疑問代名詞	

※ [55~56] **다음을 읽고 물음에 답하십시오.** 請閱讀以下短文並回答問題。

요즘 주말에 산이나 바다로 캠핑을 떠나는 가족들이 많습니다. 도시에 있으면 답답하고 아이들이 놀 수 있는 공간이 많지 않기 때문입니다. 캠핑을 가면 신선한 공기를 마실 수 있어서 건강에 좋습니다. 아이들은 넓은 자연에서 신나게 놀 수 있습니다. 가족들이 함께 밥을 해서 먹고 이야기하면서 부모와 자녀들의 관계가 더 좋아집니다. (㉠ 그래서) 캠핑을 즐기는 사람들이 점점 많아지고 있습니다.

最近很多家庭週末會到山上或海邊去露營。因為在都市會很悶，且孩子們可以玩樂的空間並不多。去露營可以呼吸新鮮的空氣有益健康。孩子們可以在寬廣的大自然開心地玩。家人們一起邊煮飯吃、邊聊天，親子關係會變更好。（㉠ 所以）去露營享受的人正漸漸變多。

55. ㉠에 들어갈 알맞은 말을 고르십시오. (2점) 請選出適合填入㉠ 的話。（2分）

① 그리고 還有　❷ 그래서 所以　③ 그렇지만 但是　④ 그런데 但是

解題 短文說明人們去露營的理由及露營的好處，最後說去露營的人越來越多。前後可說是理由及結論的因果關係，所以要填入「그래서」（所以）連接。

答案 ② 그래서 所以

56. 이 글의 내용과 같은 것을 고르십시오. (3점) 請選出和文章內容一致的選項。（3分）

解題 ① 캠핑은 주로 산으로 갑니다.

露營主要去山上。 不符 → 到山上或海邊去露營。

② 도시에도 아이들이 재미있게 놀 수 있는 곳이 많습니다.

孩子們可以玩的地方在都市也有很多。 不符 → 孩子在都市沒有很多空間可以玩。

③ 캠핑을 가면 밥을 사 먹고 가족들끼리 이야기를 합니다.

去露營買飯吃，然後聊天。 不符 → 家人一起邊煮飯吃、邊聊天。

❹ 요즘 캠핑을 좋아하는 사람들이 늘어나고 있습니다.

最近喜歡露營的人越來越多。 相符 → 享受露營樂趣的人漸漸變多。

答案 ④ 요즘 캠핑을 좋아하는 사람들이 늘어나고 있습니다.

最近喜歡露營的人越來越多。

❗關鍵語彙：
주말 週末　산 山　바다 海
가족 家人　도시 都市　답답하다 悶
공간 空間　놀다 玩　자연 自然
이야기하다 聊天　관계 關係　좋아지다 變好
즐기다 享受　많아지다 變多　캠핑을 떠나다 去露營
공기를 마시다 呼吸空氣　건강에 좋다 對健康好
신나게 놀다 開心地玩　밥을 해서 먹다 煮飯吃

❗關鍵文法：
A；V+(으)면 若～的話　V+(으)ㄹ 수 있다 可以做～
A；V+기 때문이다 因為～的原因　V+(으)면서 邊做～邊做～
A+아/어/여지다 變得～　V+고 있다 正在做～

※ [57~58] **다음을 순서대로 맞게 나열한 것을 고르십시오.** 請選出排列順序正確的選項。

57. (2점) (2分)

(가) 어떤 새들은 겨울이 되면 따뜻한 곳으로 가서 겨울을 보냅니다.
有些鳥類到了冬天會來到溫暖的地方過冬。

(나) 또 추운 곳에 사는 새들은 겨울을 찾아서 오기도 합니다.
而且住在寒冷地區的鳥類會來度過冬天。

(다) 산에는 새들이 많지만 항상 같은 종류의 새들만 있는 것은 아닙니다.
山上有很多鳥，但不是都只有相同種類的鳥。

(라) 이렇게 계절마다 다른 지역으로 옮기는 새들이 많습니다.
如此一來在每個季節都有不少鳥類往不同地區移動。

❶ (다)-(가)-(나)-(라) ② (가)-(나)-(라)-(다)
③ (다)-(가)-(라)-(나) ④ (가)-(나)-(다)-(라)

解題 短文主要說明一些鳥類依季節變化而移動棲息地。(가)及(나)具體說明鳥類會往不同地區移動，(라)開頭的「이렇게」（這樣、如此一來）表示此句為句子的總結。

答案 ① (다)-(가)-(나)-(라)

關鍵語彙：
새 鳥　겨울 冬天　보내다 度過
산 山　찾아서 오다 找來　종류 種類
계절 季節　지역 地區　옮기다 移動
따뜻한 곳 溫暖的地方 ↔ 추운 곳 冷的地方

關鍵文法：
A；V+(으)면 若~的話　A；V+기도 하다 也會~
N마다 每個N　N(으)로 往N（場所、方向）

58. (2점) (2分)

(가) 그런데 교통이 복잡해서 호텔로 가는 길을 찾기가 어려웠습니다.
但是交通複雜，去飯店的路很難找。
(나) 저는 지난주에 처음으로 한국에 왔습니다.
我上週第一次來韓國。
(다) 그래서 길을 잃어버리지 않고 호텔을 찾을 수 있었습니다.
所以我沒有迷路，找到了飯店。
(라) 사람들에게 물어보니까 모두 친절하게 가르쳐 주었습니다.
我向別人問路，大家都很親切地告訴我。

① (라)-(다)-(가)-(나)　② (다)-(나)-(라)-(가)
❸ (나)-(가)-(라)-(다)　④ (나)-(가)-(다)-(라)

解題 這一題要留意「그런데」（但是）及「그래서」（所以）等連接副詞。「그래서」通常放在「그런데」後，因為「그래서」常常表示事情的結果或結論。

答案 ② (나)-(가)-(라)-(다)

❗關鍵語彙： 호텔 飯店　길을 찾다 找路
어렵다 難　처음 首次
길을 잃어버리다 迷路　물어보다 問問看
친절하다 親切　가르쳐 주다 教、告訴
교통이 복잡하다 交通複雜

❗關鍵文法： V+아/어/여 보다 試著做~
A；V+아/어/여서 因為~ ↔ V+기 쉽다 容易做~
V+(으)ㄹ 수 있다 可以~

※ [59~60] **다음을 읽고 물음에 답하십시오.** 請閱讀以下短文並回答問題。

> 한국에 온 지 일 년이 되었습니다. 처음에는 아는 사람도 없고 한국어도 할 줄 몰라서 무척 힘들었습니다. (㉠ ×) 고향 생각이 많이 났지만 육 개월만 공부해 보기로 했습니다. (㉡ 그 후 열심히 노력한 덕분에 한국 생활도 익숙해지고 한국어 실력도 늘었습니다.) 한국어를 할 줄 알게 되니까 한국 친구들도 많이 생겼습니다. 저는 생각을 바꿔서 여기에서 대학원에 진학하기로 결심했습니다. (㉢ ×) 대학원을 졸업한 후에는 여기에서 취업을 하려고 생각합니다. (㉣ ×) 부모님이 보고 싶지만 그래도 여기에서 능력을 키우고 발전하면 좋을 것 같습니다.
>
> 來韓國有一年了。一開始因為沒有認識的人，也不會說韓文，所以非常辛苦。（㉠ ×）雖然常常想家，但決定先念六個月。（㉡ 在那之後多虧我有認真努力，也漸熟悉韓國生活，韓文實力也進步了。）因為會說韓文了，所以也多了很多韓國朋友。我改變想法，決定在這裡繼續升學念研究所。（㉢ ×）研究所畢業後，打算在這裡找工作。（㉣ ×）雖然想念父母親，但在這裡培養能力發展的話應該不錯。

59. 다음 문장이 들어갈 곳을 고르십시오. (2점) 請選出下列句子填入的地方。（2分）

> 그 후 열심히 노력한 덕분에 한국 생활도 익숙해지고 한국어 실력도 늘었습니다.
> 在那之後多虧我有認真努力，也漸熟悉韓國生活，韓文實力也進步了。

① ㉠ ❷ ㉡ ③ ㉢ ④ ㉣

解題 短文可以分為會說韓文之前與之後的生活變化。決定先念六個月後，現在已會說韓語，也多了很多韓國朋友。

答案 ② ㉡

60. 이 글의 내용과 같은 것을 고르십시오. (3점) 請選出和文章內容一致的選項。（3分）

解題 ① 한국에 온 후 육 개월이 지나지 않았습니다.

來韓國沒有六個月。 不符 → 已經一年。

② 부모님이 보고 싶어서 고향에 돌아가려고 합니다.

因為想念父母親，所以想要回家鄉。 不符 → 改變想法，要在韓國升學。

❸ 생각이 바뀌어서 한국에서 대학원 공부를 하려고 합니다.

改變主意，打算在韓國念研究所。 相符 → 決定在韓國升學讀研究所。

④ 대학원을 졸업한 후에 대해 아직 생각해 보지 않았습니다.

目前還沒想過研究所畢業後（的計劃）。 不符 → 研究所畢業後，打算在韓國找工作。

答案 ③ 생각이 바뀌어서 한국에서 대학원 공부를 하려고 합니다.

改變主意，打算在韓國念研究所。

關鍵語彙：

일 년 一年
아는 사람 認識的人
고향 家鄉
육 개월 六個月
생기다 產生
진학하다 升學
졸업하다 畢業
취업하다 找工作
보고 싶다 想念
발전하다 發展
덕분에 多虧～、托～的福
실력이 늘다 實力進步
처음에는 一開始
힘들다 辛苦
생각이 나다 想起
공부하다 讀書
바꾸다 改變、換
결심하다 決心
대학원 研究所
부모님 父母親
능력을 키우다 培養能力
노력하다 努力
익숙해지다 變熟悉

關鍵文法：

V+(으)ㄴ 지~되다 做～已經有～（多長）的時間
V+(으)ㄹ 줄 모르다 不會做～
A；V+지만 雖然～
V+(으)ㄴ 후에 做～後
V+아/어/여 보다 試著做～
V+기로 (결심)하다 決定要做～
V+(으)니까 做～之後所以～
V+(으)려고 생각하다 想要做～
V+고 싶다 想做～
A；V+(으)ㄹ 것 같다 好像要～
A+아/어/여지다 （形容詞）變得～
V+(으)ㄴ/는 덕분에 多虧～、托～的福
V+게 되다 （動詞）變得～

※ [61~62] **다음을 읽고 물음에 답하십시오. (각 2점)** 請閱讀以下短文並回答問題。（各2分）

저는 지금 원룸에 살고 있습니다. 원래 학교 기숙사를 구하려고 했지만 빈방이 없었습니다. 기숙사가 생활하기도 편하고 값도 싸기 때문에 기숙사를 신청하는 학생들이 많습니다. 방을 구하지 못할까 봐 걱정이 되었습니다. 그 때 친구가 지금 사는 원룸을 소개해 주었습니다. 이 집은 지은 지 얼마 안 되어서 깨끗하고 시설이 좋습니다. 학교에서 좀 멀고 원룸이라서 기숙사보다 (㉠ 비싸기는 하지만) 주변이 조용하니까 공부하기가 좋습니다. 마음에 드는 집을 구해서 매일 즐겁게 보내고 있습니다. 이 집에 오래 살았으면 좋겠습니다.

我現在住在一人套房。原本打算找學校宿舍，但沒有空房間。宿舍生活很方便且便宜，因此很多學生申請宿舍。我很擔心找不到房間。那個時候，朋友介紹了我現在住的套房給我。這房子蓋沒有很久，所以很乾淨，設施也不錯。因為離學校稍微遠了一點，且又是一人套房，所以比起宿舍（㉠ 確實較貴，但是）周邊安靜，因此很適合讀書。由於找到了喜歡的房子，每天過得很快樂。若能在這個家住很久的話就好了。

61. ㉠에 들어갈 알맞은 말을 고르십시오. 請選出適合填入㉠的話。

① 비싼 것처럼 像很貴的一樣

② 비싼 편이고 算是很貴的，而且

③ 비싸기 때문에 因為很貴

❹ 비싸기는 하지만 確實較貴，但是

解題 短文比較學校宿舍和目前居住的一人套房的條件。㉠前面說一人套房的缺點，後面說明優點。因此，可以猜測㉠應該是要說「雖然～，但是～」的內容。

答案 ④ 비싸기는 하지만 確實較貴，但是

62. 이 글의 내용과 같은 것을 고르십시오. 請選出和文章內容一致的選項。

解題 ① 처음에 학교 기숙사에 살다가 원룸으로 이사했습니다.

一開始住在學校宿舍，然後搬到一人套房。 不符 → 宿舍沒有空房間，因此一開始並沒有申請到。

② 원룸이 학교에서 멀기 때문에 다른 곳을 알아보려고 합니다.

一人套房離學校遠，所以打算找別的地方。 不符 → 雖然遠，但周邊安靜適合讀書，所以很喜歡。

③ 지금 살고 있는 원룸을 직접 찾았기 때문에 마음에 듭니다.

親自找到目前居住的套房，所以很喜歡。 不符 → 套房為透過朋友的介紹找到的。

❹ 지금 사는 곳이 마음에 들어서 앞으로도 계속 살고 싶습니다.

很喜歡現在居住的地方，所以以後也想繼續住。 相符 → 若能住很久就好了。

答案 ④ 지금 사는 곳이 마음에 들어서 앞으로도 계속 살고 싶습니다.

很喜歡現在居住的地方，所以以後也想繼續住。

❗關鍵語彙：

원룸 一人套房
구하다 找、尋求
생활하다 生活
값이 싸다 價錢便宜
걱정이 되다 擔心
소개하다 介紹
깨끗하다 乾淨
주변 周邊
조용하다 安靜
비싸다 貴
기숙사 宿舍
빈방 空房間
편하다 便利
신청하다 申請
시설 設施
집을 짓다 蓋房子
멀다 遠
오래 長時間
마음에 들다 喜歡

❗關鍵文法：

V+고 있다 正在做～
V+(으)려고 하다 打算要做～
A；V+(으)니까 因為～
N보다 比起N
V+기 편하다/좋다 很方便～、適合做～
A；V+(으)ㄹ까 봐 擔心～
V+아/어/여 주다 幫忙做～
V+(으)ㄴ 지～되다 做～已經有～（多長）的時間
A；V+았/었/였으면 좋겠다 若能～就好了

第二回 模擬試題 解答表 完全解析

※ [63~64] **다음을 읽고 물음에 답하십시오.** 請閱讀以下短文並回答問題。

축복해 주십시오 !

두 사람이 만난 지 2년이 되는 날 하나가 되려고 합니다. 그동안 여러분의 관심 속에 성장한 저희가 믿음과 사랑으로 결혼합니다. 꼭 오셔서 축하해 주시면 감사하겠습니다.결혼식은 9월 15일 토요일 오전 11시에 있을 예정입니다. 축복예식장 2층 행복홀로 오시면 됩니다. 결혼식이 끝난 후에 예식장 옆 축복식당에 식사를 준비했습니다. 꼭 오셔서 드시기 바랍니다. 예식장 주변의 교통이 복잡하니까 대중교통을 이용하시는 것이 좋겠습니다.

김민수.이미소 드림

請祝福我們！

二個人認識2年的日子想要成為一體。過去這段期間在各位關懷中成長的我們，秉以信賴與愛情要結婚了。若您能來祝福我們，我們會很感激。婚禮預定在9月15日星期六上午11點舉行。到祝福禮堂2樓幸福廳即可。婚禮結束後，在禮堂旁邊的祝福餐廳備有餐點。希望您一定要來享用。禮堂周圍的交通複雜，利用大眾交通工具會比較好。

金敏秀、李微笑 敬上

63. 두 사람은 왜 이 글을 썼습니까? (2점) 二人為什麼寫了這篇文章？（2分）

❶ 결혼식에 초대하려고 打算要邀請（朋友）來婚禮

② 결혼식에 참석하려고 打算要參加婚禮

③ 결혼식 장소를 알려주려고 打算要告知婚禮場所

④ 결혼식 참석을 확인하려고 打算要確認是否參加婚禮

解題 這是結婚請帖的內容，請帖的目的就是要邀請賓客。

答案 ① 결혼식에 초대하려고 打算要邀請（朋友）來婚禮

64. 이 글의 내용과 같은 것을 고르십시오. (3점) 請選出和文章內容一致的選項。（3分）

解題 ① 두 사람은 사귄 지 2년이 넘었습니다.

二人交往已超過2年。 不符 → 二人在交往滿2年的日子將結婚。

② 결혼식 전에 식당에 가서 식사를 할 수 있습니다.

可以在婚禮前去餐廳用餐。 不符 → 婚禮結束後去餐廳用餐。

❸ 자기 차를 가지고 가면 예식장 근처에서 차가 막힐 것입니다.

自己開車去的話，可能在結婚禮堂附近會塞車。 相符 → 結婚禮堂附近交通複雜。

④ 결혼식은 평일 낮에 합니다.

婚禮在平日白天舉行。 不符 → 婚禮在週六（週末）上午舉行。

答案 ③ 자기 차를 가지고 가면 예식장 근처에서 차가 막힐 것입니다.

自己開車的話去，可能在結婚禮堂附近會塞車。

❗關鍵語彙：

축복하다 祝福
하나가 되다 成為一體
관심 關心、興趣
감사하다 感謝
토요일 星期六
예정이다 預定
준비하다 準備
대중교통 大眾運輸
이용하다 利用
만나다 見面、認識
그 동안 過去這段時間
축하하다 慶祝
결혼식 婚禮
오전 上午
예식장 結婚禮堂
주변 周圍、周邊
교통이 복잡하다 交通複雜

❗關鍵文法：

V+(으)ㄴ 지 ~되다 做~已經有~（多長）的時間
V+(으)ㄹ 예정이다 預定做~
V+(으)면 되다 做~就好
V+(으)ㄴ 후에 做~之後
A；V+(으)니까 因為~
V+는 것이 좋다 做~比較好

※ [65~66] **다음을 읽고 물음에 답하십시오.** 請閱讀以下短文並回答問題。

대학교 도서관에 들어가려면 학생증이 있어야 합니다. 도서관 안에는 층마다 열람실이 있습니다. 학생들은 그 곳에서 공부를 해도 되고 또 책을 빌릴 수도 있습니다. 도서관에서 (㉠ 책을 빌리려면) 우선 빌리고 싶은 책이 도서관에 있는지 검색해야 합니다. 만약 다른 사람이 이미 책을 빌려갔을 때에는 미리 예약을 하면 됩니다. 그러면 다음 순서에 그 책을 빌릴 수가 있습니다. 책을 빌릴 수 있는 기간은 보통 한 달입니다. 한 달 안에 책을 다 읽고 돌려주는 것이 좋습니다. 기간이 넘으면 돈을 내야 합니다.

想要進去大學圖書館，必須要有學生證。圖書館內每層都有閱覽室。學生們可以在那個地方讀書，也可以借書。在圖書館（㉠ 若想要借書的話），首先要搜尋你想借的書有沒有在館內。若別人已經把書借走的時候，事先預約就可以。這樣的話，就可以在下一個順序借到書。通常借書的時間是一個月。最好在一個月內看完還書。若超過時間就必須要付錢。

65. ㉠에 들어갈 알맞은 말을 고르십시오. (2점) 請選出適合填入㉠ 的話。（2分）

① 책을 빌려도 即使借書

② 책을 빌린 후에 借書後

③ 책을 빌린 적이 있는데 曾經借過書

❹ 책을 빌리려면 若要借書的話

解題 從句子前後可以猜測㉠應該要加「책을 빌리려면」（若想要借書的話）或「책을 빌리기 전에」（在借書前）等內容。

答案 ④ 책을 빌리려면 若要借書的話

66. 이 글의 내용과 같은 것을 고르십시오. (3점) 請選出和文章內容一致的選項。（3分）

解題 ① 책을 빌린 지 한 달이 넘어도 벌금을 내지 않습니다.
即使借書超過一個月，還是不用罰款。 不符 → 借書超過一個月需要付錢。

❷ 책을 빌리기 전에 먼저 검색을 해야 합니다.
借書前要先搜尋。 相符 → 要先搜尋想要借的書有沒有。

③ 학생증이 없어도 자유롭게 공부를 하거나 책을 빌릴 수 있습니다.
即使沒有學生證，還是可以自由（進出）讀書或借書。 不符 → 要有學生證才可以進去圖書館。

④ 책을 빌리면 다 읽은 후에 돌려줘도 됩니다.
借了書，可以在全部看完後再還書就好。 不符 → 借書最好不要超過一個月。

答案 ② 책을 빌리기 전에 먼저 검색을 해야 합니다. 借書前，要先搜尋。

❗關鍵語彙：

대학교 大學	도서관 圖書館	들어가다 進去
학생증 學生證	층 樓層	열람실 閱覽室
책을 빌리다 借書	검색하다 搜尋	빌려가다 借走
예약하다 預約	순서 順序	기간 期間、時間
돌려주다 歸還	넘다 超過	돈을 내다 付錢

❗關鍵文法：

V+(으)려면 若要做～	A；V+아/어/여야 하다 應該要～
N마다 每個N	A；V+(으)면 若～的話
V+아/어/여도 되다 可以做～	V+(으)ㄹ 수 있다 可以做～
V+고 싶다 想做～	A；V+(으)ㄴ/는지 是否～
A；V+(으)면 되다 若～即可	V+는 것이 좋다 最好做～

※ [67~68] **다음을 읽고 물음에 답하십시오. (각 3점)** 請閱讀以下短文並回答問題。（各3分）

바쁜 직장인들이 일을 하다가 또는 학생들이 공부를 하다가 볼펜이 흰색 옷에 묻을 때가 있을 것입니다. 이렇게 생긴 볼펜 자국은 옷을 빨아도 잘 없어지지 않습니다. 볼펜 자국을 지우려면 특별한 방법을 써야 합니다. 먼저 식초를 사용하면 (㉠ 옷이 깨끗해질) 수 있습니다. 더러워진 옷을 세탁할 때 식초를 넣으면 볼펜 자국이 없어집니다. 더 깨끗하게 빨기 위해서 따뜻한 물을 사용하기도 합니다. 볼펜에는 기름이 있기 때문에 물만 사용하면 지우기 어렵습니다. 그래서 볼펜 기름을 지울 수 있는 것으로 볼펜이 묻은 부분을 닦는 것이 좋습니다.

忙碌的上班族在工作，或是學生在讀書讀著，有時候原子筆會沾到白色衣服。如此產生的原子筆痕跡，即使洗也洗不太掉。想要去除原子筆的痕跡需要使用特別的方法。首先，使用醋的話（㉠ 衣服可以變乾淨）。洗髒衣服的時候，若加醋就可以去除原子筆痕跡。為了要洗得更乾淨，也會使用熱水。由於原子筆裡有油的成分，因此只用水是很難去除的。所以最好使用能去除油的東西，把沾到原子筆的部分擦乾淨。

67. ㉠에 들어갈 알맞은 말을 고르십시오. 請選出適合填入㉠ 的話。

❶ 옷이 깨끗해질 衣服可以變乾淨
② 옷이 더러워질 衣服可能變髒
③ 볼펜 자국이 남을 可能留下原子筆痕跡
④ 자국이 생길 수 可能產生痕跡

解題 短文介紹去除原子筆痕跡的方法。其中亦說明可以使用醋來去除原子筆痕跡。從短文內容來看，㉠應該要填入「옷이 깨끗해질」（衣服可以變乾淨）。

答案 ① 옷이 깨끗해질 衣服可以變乾淨

68. 이 글의 내용과 같은 것을 고르십시오. 請選出和文章內容一致的選項。

解題 ① 볼펜 자국을 지울 때 식초로 볼펜이 묻은 부분을 닦습니다.
要去除原子筆痕跡時，用醋來擦原子筆沾到的部分。 不符 → 在洗衣服時加入醋。

② 볼펜 자국은 물로 빨아도 깨끗해집니다.
原子筆痕跡用水也可以洗乾淨。 不符 → 原子筆有油的成分，因此用水很難洗掉。

③ 옷을 깨끗하게 만들고 싶으면 찬물을 넣어야 합니다.
想要把衣服弄乾淨，需要加冷水。 不符 → 想洗得更乾淨，要加熱水。

❹ 볼펜으로 더러워진 옷에는 식초를 사용하는 것이 좋습니다.
因原子筆變髒的衣服，使用醋比較好。 相符

答案 ④ 볼펜으로 더러워진 옷에는 식초를 사용하는 것이 좋습니다.
因原子筆變髒的衣服，使用醋比較好。

❗關鍵語彙：

볼펜 原子筆	흰색 白色	묻다 沾到
자국 痕跡	옷을 빨다 洗衣服	지우다 去除
없어지다 消失不見	식초 醋	사용하다 使用
더러워지다 變髒	세탁하다 洗	넣다 放
깨끗하다 乾淨	따뜻한 물 熱水	기름 油
물 水	닦다 擦	찬물 冷水

❗關鍵文法：
V+다가 做～途中
A；V+(으)ㄹ 때가 있다 有時候會～
A；V+아/어/여도 即使～還是～
A+아/어/여지다（形容詞）變得～
V+(으)려면 打算做～的話
V+기 위해서 為了做～
A；V+아/어/여야 하다 應該要～
A；V+기도 하다 也會～

A ; V+기 때문에 因為～

V+기 어렵다 很難做～

N(으)로 用N

V+는 것이 좋다 做～比較好

V+고 싶다 想做～

V+(으)ㄹ 수 있다 能做～

※ [69~70] **다음을 읽고 물음에 답하십시오. (각 3점)** 請閱讀以下短文並回答問題。（各3分）

형과 저는 쌍둥이 형제입니다. 우리는 얼굴과 목소리가 똑같고 체격도 비슷합니다. 하지만 사실 두 사람의 성격은 많이 다릅니다. 형은 성격이 조용한 편입니다. 혼자 책을 읽고 음악을 듣거나 생각하는 것을 좋아합니다. 그런데 저는 (㉠ 사람들과 함께 있는 것이) 무척 좋습니다. 그래서 집에 있는 것보다 밖에서 사람들과 운동을 하거나 이야기를 하는 것을 더 좋아합니다. 아는 사람도 많습니다. 부모님은 우리가 쌍둥이지만 성격이 다른 것을 신기하게 생각하십니다. 우리를 아는 사람들은 저와 형을 금방 알아볼 수 있습니다.

哥哥和我是雙胞胎兄弟。我們臉蛋和聲音一樣，體格也相似。但其實我們二個人的個性很不一樣。哥哥個性算是安靜。喜歡自己一個人看書還有聽音樂或思考。但我非常喜歡（㉠ 和別人相處）。因此比起待在家，更喜歡在外面和別人運動或聊天。也有很多認識的人。父母親對於我們是雙胞胎，但個性卻如此不同這件事情感到新奇。認識我們的人可以馬上認出我和哥哥。

69. ㉠에 들어갈 알맞은 말을 고르십시오. 請選出適合填入㉠ 的話。

① 여기저기 여행하는 것이 到處旅行

② 혼자 있는 것이 自己一個人

❸ 사람들과 함께 있는 것이 和別人相處

④ 우리가 서로 닮은 것이 我們長得很像

解題 我的個性和哥哥不同。哥哥喜歡一個人做自己的事，我與他不同，㉠應該要說喜歡「사람들과 함께 있는 것이」（和別人相處），因為下一句說喜歡在外面和別人運動或聊天。

答案 ③ 사람들과 함께 있는 것이 和別人相處

70. 이 글의 내용으로 알 수 있는 것은 무엇입니까? 從這短文的內容可以了解什麼？

解題 ① 부모님은 우리의 성격이 달라서 힘들어하십니다.

我們的個性不同，父母親為此感到不好受。 不符 → 父母親覺得很新奇。

❷ 저는 사람들을 만나는 것을 좋아하는 편입니다.

我算是喜歡和人見面的人。 相符 → 我喜歡和別人運動或聊天。

③ 형은 성격이 활발해서 아는 사람이 많습니다.

哥哥個性活潑，因此認識很多人。 不符 → 我的個性活潑，所以認識很多人。

④ 우리는 쌍둥이라서 모든 것이 다 비슷합니다.

我們是雙胞胎，所以一切都很相似。 不符 → 我們外表很像，但個性幾乎相反。

答案 ② 저는 사람들을 만나는 것을 좋아하는 편입니다.

我算是喜歡和人見面的人。

❗關鍵語彙：

형 哥哥	쌍둥이 雙胞胎	형제 兄弟
얼굴 臉	목소리 聲音	똑같다 一模一樣
체격 體格	성격 個性	조용하다 安靜
혼자 自己一個人	함께 一同	무척 非常
집에 있다 在家	운동을 하다 運動	이야기를 하다 聊天
좋아하다 喜歡	아는 사람 認識的人	부모님 父母親
신기하다 新奇	생각하다 思考	알아보다 認出來
비슷하다 像 ↔ 다르다 不同		

❗關鍵文法：

A；V+거나 ～或者	V+는 것 （動詞）做～的
A+게 ～地（副詞）	N보다 比起N
A；V+지만 雖然～	A+(으)ㄴ 것 （形容詞）～的
V+(으)ㄹ 수 있다 能做～	A；V+(으)ㄴ/는 편이다 偏向是～

第三回

模擬試題＋解答表＋完全解析

한국어능력시험
모의고사 TOPIK I
듣기, 읽기

성명 (Name)	한국어 (Korean)	
	영 어 (English)	

수			험			번			호		
					7						
0	0	0	0	0		0	0	0	0	0	0
1	1	1	1	1		1	1	1	1	1	1
2	2	2	2	2		2	2	2	2	2	2
3	3	3	3	3		3	3	3	3	3	3
4	4	4	4	4		4	4	4	4	4	4
5	5	5	5	5		5	5	5	5	5	5
6	6	6	6	6		6	6	6	6	6	6
7	7	7	7	7	●	7	7	7	7	7	7
8	8	8	8	8		8	8	8	8	8	8
9	9	9	9	9		9	9	9	9	9	9

※결 시 확인란	결시자의 영어 성명 및 수험번호 기재 후 표기	○

※답안지 표기 방법(Marking examples)	
바른 방법(Corret)	바르지 못한 방법(Incorrect)
●	✓ ⊙ ◐ ⊗ ✗

※위 사항을 지키지 않아 발생하는 불이익은 응시자에게 있습니다.

※감독관 확 인	본인 및 스험번호 표기가 정확한지 확인	(인)

번호	답			란
1	①	②	③	④
2	①	②	③	④
3	①	②	③	④
4	①	②	③	④
5	①	②	③	④
6	①	②	③	④
7	①	②	③	④
8	①	②	③	④
9	①	②	③	④
10	①	②	③	④
11	①	②	③	④
12	①	②	③	④
13	①	②	③	④
14	①	②	③	④
15	①	②	③	④
16	①	②	③	④
17	①	②	③	④
18	①	②	③	④
19	①	②	③	④
20	①	②	③	④

번호	답			란
21	①	②	③	④
22	①	②	③	④
23	①	②	③	④
24	①	②	③	④
25	①	②	③	④
26	①	②	③	④
27	①	②	③	④
28	①	②	③	④
29	①	②	③	④
30	①	②	③	④
31	①	②	③	④
32	①	②	③	④
33	①	②	③	④
34	①	②	③	④
35	①	②	③	④
36	①	②	③	④
37	①	②	③	④
38	①	②	③	④
39	①	②	③	④
40	①	②	③	④

번호	답			란
41	①	②	③	④
42	①	②	③	④
43	①	②	③	④
44	①	②	③	④
45	①	②	③	④
46	①	②	③	④
47	①	②	③	④
48	①	②	③	④
49	①	②	③	④
50	①	②	③	④
51	①	②	③	④
52	①	②	③	④
53	①	②	③	④
54	①	②	③	④
55	①	②	③	④
56	①	②	③	④
57	①	②	③	④
58	①	②	③	④
59	①	②	③	④
60	①	②	③	④

번호	답			란
61	①	②	③	④
62	①	②	③	④
63	①	②	③	④
64	①	②	③	④
65	①	②	③	④
66	①	②	③	④
67	①	②	③	④
68	①	②	③	④
69	①	②	③	④
70	①	②	③	④

TOPIK I 듣기 (1번 ~ 30번)

※ [1~4] **다음을 듣고 〈보기〉와 같이 물음에 맞는 대답을 고르십시오.** MP3 | 63

〈보 기〉

가 : 운동을 해요?

나 : ____________________

❶ 네, 운동을 해요.　　② 아니요, 운동이에요.

③ 네, 운동이 아니에요.　　④ 아니요, 운동을 좋아해요.

1. (4점) MP3 | 64

① 네, 물이에요.　　② 아니요, 물이 없어요.

③ 네, 물이 있어요.　　④ 네, 물을 마셔요.

2. (4점) MP3 | 65

① 아니요, 사과가 아니에요.　　② 아니요, 사과예요.

③ 네, 사과가 많아요.　　④ 네, 사과를 좋아해요.

3. (3점) MP3 | 66

① 오후에 만나요.　　② 내일 도서관에 가요.

③ 친구하고 영화를 봐요.　　④ 커피숍에서 만나요.

4. (3점) MP3 | 67

① 회사에서 일해요.　　② 학교에 안 가요.

③ 집에 있었어요.　　④ 내일 병원에 갈 거예요.

※ [5~6] **다음을 듣고 〈보기〉와 같이 이어지는 말을 고르십시오.** MP3 | 68

〈보 기〉

가 : 늦어서 미안해요.

나 : ____________________

① 고마워요. ❷ 아니에요.

③ 죄송해요. ④ 부탁해요.

5. (4점) MP3 | 69

① 오랜만이에요. ② 잠시만 기다리세요.

③ 잘 부탁드립니다. ④ 만나서 반가워요.

6. (3점) MP3 | 70

① 어서 오세요. ② 많이 드세요.

③ 안녕히 계세요. ④ 감사합니다. 또 오세요.

※ [7~10] **여기는 어디입니까? 〈보기〉와 같이 알맞은 것을 고르십시오.** MP3 | 71

〈보 기〉

가 : 며칠 동안 주무실 거예요?

나 : 11월 5일부터 7일까지요.

① 공원 ❷ 호텔

③ 도서관 ④ 기차역

7. (3점) MP3 | 72

① 가게 ② 미용실 ③ 영화관 ④ 문구점

8. (3점) MP3 | 73

① 우체국 ② 박물관 ③ 병원 ④ 도서관

9. (3점) MP3 | 74

① 지하철역　② 공항　③ 버스 정류장　④ 공원

10. (4점) MP3 | 75

① 교실　② 은행　③ 회사　④ 공항

※ [11~14] **다음은 무엇에 대해 말하고 있습니까? 〈보기〉와 같이 알맞은 것을 고르십시오.** MP3 | 76

〈보 기〉

가 : **점심 드셨어요?**

나 : **네, 김밥 먹었어요.**

❶ 식사　② 계획　③ 시간　④ 건강

11. (3점) MP3 | 77

① 약속　② 시간　③ 쇼핑　④ 날씨

12. (3점) MP3 | 78

① 주말　② 교통　③ 장소　④ 여행

13. (4점) MP3 | 79

① 약속　② 달력　③ 고향　④ 날씨

14. (3점) MP3 | 80

① 약속　② 시간　③ 운동　④ 소개

※ [15~16] **다음 대화를 듣고 알맞은 그림을 고르십시오.** (각 4점) MP3 | 81

15. MP3 | 81

①

②

③

④

16. MP3 | 82

①

②

③

④

※ [17~21] **다음을 듣고 〈보기〉와 같이 대화 내용과 같은 것을 고르십시오.** (각 3점) MP3 | 83

〈보 기〉

남자 : **요즘 한국어를 공부해요?**

여자 : **네, 한국 친구한테서 한국어를 배워요.**

① 남자는 학생입니다. ② 여자는 학교에 다닙니다.

③ 남자는 한국어를 가르칩니다. ❹ 여자는 한국어를 공부합니다.

17. MP3 | 83

① 여자는 어제 콘서트에 갔다 왔습니다.

② 남자는 전에 콘서트에 가 본 적이 없습니다.

③ 남자는 콘서트를 별로 기대하지 않았습니다.

④ 남자는 콘서트를 아주 재미있게 봤습니다.

18. MP3 | 84

① 여자는 가방이 예쁘기 때문에 좋아합니다.

② 요즘 새로 나온 가방은 가격이 비쌉니다.

③ 남자가 보여 준 책가방은 책을 많이 넣을 수 없습니다.

④ 남자는 여자에게 다른 가방을 보여 주었습니다.

19. MP3 | 85

① 여자는 약을 먹었지만 좋아지지 않았습니다.

② 여자는 감기가 거의 다 나았습니다.

③ 남자는 여자에게 약을 주었습니다.

④ 감기에 걸렸을 때는 약을 먹기만 하면 됩니다.

20. MP3 | 86

① 지금 네 사람 모두 식당에 있습니다.

② 손님 중 두 사람은 7시가 넘어서 올 것입니다.

③ 식사는 네 사람이 다 온 후에 시작합니다.

④ 여자는 식당에 오기 전에 미리 예약을 하지 않았습니다.

21. MP3 | 87

① 남자는 동료들에게 이야기를 전달할 것입니다.

② 음악회는 태풍이 와도 계획대로 열립니다.

③ 야외 음악회가 원래 내일 있을 예정이었습니다.

④ 음악회는 남자와 여자 두 사람만 가기로 했습니다.

※ [22~24] **다음을 듣고 여자의 중심 생각을 고르십시오.** (각 3점) MP3 | 88

22. MP3 | 88

① 방학에 아이가 공부를 하지 않을까 봐 걱정됩니다.

② 아이가 직접 계획표를 만들어야 합니다.

③ 규칙적인 생활 습관이 중요합니다.

④ 부모는 아이를 자주 칭찬해 주어야 합니다.

23. MP3 | 89

① 몸과 마음의 건강이 편리함보다 더 중요합니다.

② 공기가 맑은 곳으로 이사를 가고 싶습니다.

③ 새로 이사하는 곳이 멀어서 교통이 불편합니다.

④ 지금 사는 곳은 복잡해서 마음에 들지 않습니다.

24. MP3 | 90

① 영화가 웃기고 재미있었습니다.

② 항상 부모님의 마음에 감사해야 합니다.

③ 아버지를 생각하면서 영화를 보았습니다.

④ 영화가 부모의 사랑에 대해 이야기해서 큰 감동을 받았습니다.

※ [25~26] **다음을 듣고 물음에 답하십시오.** MP3 | 91

25. 어떤 이야기를 하고 있는지 고르십시오. (3점)

① 주문　② 인사　③ 감사　④ 안내

26. 들은 내용과 같은 것을 고르십시오. (4점)

① 모든 상품을 세일합니다.

② 세일은 10시까지만 합니다.

③ 손님 한 명이 한 종류씩만 살 수 있습니다.

④ 고기류와 야채.과일류 모두 20% 세일합니다.

※ [27~28] **다음을 듣고 물음에 답하십시오.** MP3 | 92

27. 두 사람이 무엇에 대해 이야기하고 있는지 고르십시오. (3점)

① 출발 시기 문의

② 예약자 모집

③ 여행 상품 문의

④ 예약 방법 문의

28. 들은 내용과 같은 것을 고르십시오. (4점)

① 남자는 휴가이기 때문에 언제든지 여행을 떠날 수 있습니다.

② 평일에 출발해서 주말에 돌아옵니다.

③ 일정은 여행사가 정해줍니다.

④ 이 상품은 주말 상품과 비교하면 좀 비싼 편입니다.

※ [29~30] **다음을 듣고 물음에 답하십시오.** MP3 | 93

29. 남자는 왜 여자에게 전화를 했습니까? (3점)

① 언제 책을 주문했는지 알려주기 위해서

② 책의 주문량이 얼마나 되는지 알아보려고

③ 주문한 책이 도착하지 않아서

④ 책을 주문한 사람의 이름을 다시 확인하기 위해서

30. 들은 내용과 같은 것을 고르십시오. (4점)

① 남자는 책을 주문하고 있습니다.

② 전에 책을 주문하면 이삼일을 넘긴 적이 없었습니다.

③ 남자는 이틀 후에 책을 받을 수 있습니다.

④ 남자가 책을 주문한 지 일주일이 지났습니다.

TOPIK I 읽기 (31번 ~ 70번)

※ [31~33] **무엇에 대한 이야기입니까? 〈보기〉와 같이 알맞은 것을 고르십시오.** (각 2점)

〈보　기〉

포도를 먹었습니다. 포도가 맛있었습니다.

① 시간　② 공부　❸ 과일　④ 날짜

31. 저는 회사원입니다. 매일 출근합니다.

① 시간　② 이름　③ 직업　④ 장소

32. 친구와 도서관에 갑니다. 그리고 공원에 갑니다.

① 달력　② 장소　③ 주말　④ 취미

33. 봄에는 따뜻하고 꽃이 핍니다. 꽃구경을 하러 갑니다.

① 시간　② 요일　③ 날씨　④ 휴일

第三回 模擬試題 解答表 完全解析

※ [34~39] **〈보기〉와 같이 (　　　　)에 들어갈 가장 알맞은 것을 고르십시오.**

〈보　기〉

시간을 모릅니다. (　　　　)를 봅니다.

① 잡지　　❷ 시계　　③ 주소　　④ 편지

34. (2점)

길을 건너세요. 백화점 앞(　　　　) 오른쪽으로 100미터쯤 가세요.

① 에게　　② 과　　③ 에　　④ 에서

35. (2점)

새 집으로 이사했습니다. 집이 (　　　　).

① 깨끗합니다　　② 귀엽습니다　　③ 건강합니다　　④ 친절합니다

36. (2점)

날짜를 알고 싶습니다. (　　　　)을 봅니다.

① 영화　　② 달력　　③ 잡지　　④ 텔레비전

37. (3점)

근처에 지하철역이 없습니다. 오토바이를 (　　　　).

① 탑니다　　② 내립니다　　③ 갑니다　　④ 닦습니다

38. (3점)

내일 산에 갈 겁니다. 그래서 내일 아침에 (　　　　) 일어나야 합니다.

① 자주　　② 아까　　③ 조금 후에　　④ 일찍

39. (2점)

휴대전화가 고장 났습니다. 그래서 새 전화로 (　　　　).

① 읽었습니다　　② 쳤습니다　　③ 바꾸었습니다　　④ 만들었습니다

※ [40~42] **다음을 읽고 맞지 <u>않는</u> 것을 고르십시오.** (각 3점)

40.

농구 동아리 회원 모집

➲ 요　일 : 매주 수요일
➲ 시　간 : 오후 4 : 00 ~ 6 : 00
➲ 장　소 : 학교 체육관 지하 1층
➲ 연락처 : 이영미 (0987-654-321)

※ 매주 동아리 활동이 끝난 후 회식이 있습니다.

① 모임은 일주일에 한 번 있습니다.
② 오후에 두 시간 동안 농구를 합니다.
③ 농구가 끝나면 회원들이 함께 식사를 합니다.
④ 농구를 잘 못하는 사람은 가입할 수 없습니다.

41.

민수 씨,
부탁이 있어요.
제가 오늘 늦게 들어가요.
그런데 오후에 주문한 책이 올 거예요.
그 책 좀 받아 주세요.
-수호-.

① 수호 씨는 책을 주문했습니다.

② 민수 씨가 수호 씨의 책을 받아 주어야 합니다..

③ 수호 씨는 오늘 일찍 집에 갈 수 없습니다.

④ 오후에 민수 씨가 주문한 책이 도착합니다.

42.

행복 마트 안내도

4층	식당, 어린이 소극장
3층	남성 의류, 여성 의류
2층	가전제품, 완구, 스포츠 용품
1층	생활용품, 화장품, 아동복
지하 1층	식품, 고기류, 야채.과일류, 생활용품
지하2 ~ 4층	주차장

① 3층에 가면 남녀 옷을 살 수 있습니다.

② 4층에서는 공연을 볼 수 있습니다.

③ 식사를 하려면 지하 1층에 가야 합니다.

④ 운동에 관심이 있으면 2층으로 가면 됩니다.

※ [43~45] **다음의 내용과 같은 것을 고르십시오.**

43. (3점)

> 오늘 회사에서 처음으로 월급을 받았습니다. 저는 부모님과 같이 식사를 했습니다. 그리고 월급을 모두 부모님께 드렸습니다. 부모님께서 깜짝 놀라셨습니다.

① 저는 회사에서 받은 돈을 다 부모님께 드렸습니다.
② 부모님은 돈을 받고 안 좋아하셨습니다.
③ 저는 제 용돈을 부모님께 드렸습니다.
④ 저는 전에도 항상 월급을 받았습니다.

44. (2점)

> 지난 주말에 친구 결혼식에 갔습니다. 결혼식장에서 오랫동안 못 만난 친구들과 반갑게 인사했습니다. 함께 사진도 많이 찍고 서로 연락처도 받았습니다.

① 자주 만나는 친구들과 같이 결혼식장에 갔습니다.
② 친구들과 서로 연락처를 이야기해 주었습니다.
③ 오랜만에 친구들을 만나서 할 말이 없었습니다.
④ 친구들과 인사만 하고 헤어졌습니다.

45. (3점)

> 저는 혼자 삽니다. 그래서 가끔 직접 음식을 만듭니다. 처음에는 너무 못했지만 지금은 잘하게 되었습니다. 친구들도 제가 만든 음식을 맛있게 먹습니다.

① 저는 이제 매일 요리를 하게 되었습니다.
② 저는 친구들과 같이 삽니다.
③ 처음 요리했을 때 맛이 없었습니다.
④ 요즘은 친구가 음식을 만들어 줍니다.

※ **[46~48] 다음을 읽고 중심 생각을 고르십시오.**

46. (3점)

저는 자주 집 근처 공원에 갑니다. 어떤 사람들은 공원에서 산책을 합니다. 또 어떤 사람들은 의자에 앉아서 책을 읽거나 쉽니다. 쉴 수 있는 분위기가 정말 마음에 듭니다.

① 바빠서 공원에 가서 쉬고 싶습니다.
② 저는 공원에서 자주 책을 읽습니다.
③ 저는 공원에서 산책을 합니다.
④ 저는 공원을 좋아합니다.

47. (3점)

제 취미는 책을 읽는 것입니다. 그렇지만 집 근처에는 도서관이 없습니다. 책을 사고 싶지만 가끔 돈이 부족합니다. 책을 빌려 읽을 수 있었으면 좋겠습니다.

① 저는 책을 사는 것을 좋아합니다.
② 책을 빌릴 수 없어서 아쉽습니다.
③ 집 근처에 도서관이 있었으면 좋겠습니다.
④ 돈이 부족해서 불편합니다.

48. (2점)

저에게는 좋지 않은 습관이 하나 있습니다. 영화를 볼 때 자주 휴대전화를 끄지 않는 것입니다. 오늘도 영화를 볼 때 전화가 와서 소리가 났습니다. 다른 사람들에게 미안하고 창피했습니다. 다음부터는 잊어버리지 말아야겠습니다.

① 영화 중간에 전화 소리가 나서 창피했습니다.
② 영화를 보러 가면 휴대전화를 꼭 꺼야겠습니다.
③ 영화를 볼 때 전화가 와서 놀랐습니다.
④ 안 좋은 습관 때문에 걱정됩니다.

※ [49~50] **다음을 읽고 물음에 답하십시오.** (각 2점)

우리 동네에는 특별한 가게가 있습니다. 이 가게에서 파는 물건들은 사람들에게서 무료로 받은 것입니다. 사람들은 쓰지 않는 물건을 이 가게에 줍니다. 가게에서는 물건들을 깨끗하게 정리한 후 싼값에 팝니다. 그리고 물건을 판 돈으로 다른 사람들을 도와 줍니다. 값도 싸고 다른 사람들도 (㉠) 즐거운 마음으로 쇼핑하게 됩니다. 또 옷, 책, 신발 등 다양한 물건을 싸게 살 수 있으니까 좋습니다.

49. ㉠에 들어갈 알맞은 말을 고르십시오.

① 도와주는 편이지만
② 도와줄 수 있기 때문에
③ 도와줄 수 있고
④ 도와줄 수 있는데

50. 이 글의 내용과 같은 것을 고르십시오.

① 사람들은 돈을 받고 자기 물건을 이 가게에 줍니다.
② 이 가게에서는 새 옷이나 새 책들을 팔고 있습니다.
③ 이 가게는 다른 사람을 돕기 위해 물건 판 돈을 사용합니다.
④ 이 가게에서 파는 물건은 세 종류밖에 없습니다.

※ [51~52] **다음을 읽고 물음에 답하십시오.**

요즘 많은 사람들이 건강을 중요하게 생각합니다. 건강에 좋은 음식을 소개하는 텔레비전 프로그램과 인터넷 사이트들이 인기가 (㉠). 건강을 유지하기 위해서 건강식품이나 약을 먹기도 합니다. 하지만 사실 운동을 하는 것이 식품이나 약보다 훨씬 효과가 있습니다. 간단한 체조를 하거나 달리기를 해도 도움이 됩니다. 매일 시간을 내서 규칙적으로 하는 것이 좋습니다.

51. ㉠에 들어갈 알맞은 말을 고르십시오. (3점)

① 높아졌기 때문입니다.　　② 높아졌으면 좋겠습니다.

③ 높아지고 있습니다.　　④ 높아지고 싶습니다.

52. 무엇에 대한 이야기인지 맞는 것을 고르십시오. (2점)

① 건강이 중요한 이유　　② 건강을 유지하는 방법

③ 규칙적인 생활 습관　　④ 달리기의 중요성

※ [53~54] **다음을 읽고 물음에 답하십시오.**

제가 일기를 쓰기 시작한 지 1년이 되었습니다. 하루 동안에 생긴 일들을 매일 다시 한 번 생각하고 정리합니다. 일기를 쓰면 여러 가지 좋은 점이 있습니다. 먼저 마음이 편안해지고 머리가 맑아집니다. 그리고 잘한 일과 잘못한 일을 알 수 있게 됩니다. 옛날에 쓴 일기를 읽으면 그 때의 일과 느낌이 다시 생각납니다. 그래서 꼭 옛날 사진을 (㉠).

53. ㉠에 들어갈 알맞은 말을 고르십시오. (2점)

① 보는 것 같습니다 ② 찍었습니다

③ 찍을 겁니다 ④ 볼 수 있습니다

54. 이 글의 내용과 같은 것을 고르십시오. (3점)

① 매일 옛날에 쓴 일기를 읽으면 머리가 맑아집니다.

② 저는 지난 1년 동안 계속 일기를 썼습니다.

③ 일기를 쓰면 잘못한 일이 생각나서 기분이 좋지 않습니다.

④ 저는 옛날 사진을 자주 봅니다.

※ [55~56] **다음을 읽고 물음에 답하십시오.**

여름에는 태풍이 자주 생기는 편입니다. 비가 오는 태풍이 많기는 하지만 바람이 세게 부는 때도 있습니다. 강한 바람이 불 때 사람들은 창문을 꼭 닫습니다. (㉠) 창문을 다 닫으면 바람이 직접 부딪혀서 창문이 깨지기 쉽습니다. 그 대신 창문을 조금 열어 놓으면 바람이 통하게 되니까 깨지지 않습니다. 또 다른 방법은 창문 전체에 젖은 신문지를 붙이는 것입니다. 그러면 바람 때문에 유리가 깨져도 젖은 신문지가 유리 조각들이 여기저기 날아가는 것을 막아줍니다.

55. ㉠에 들어갈 알맞은 말을 고르십시오. (2점)

① 그리고 ② 왜냐하면

③ 하지만 ④ 그래서

56. 이 글의 내용과 같은 것을 고르십시오. (3점)

① 태풍이 오면 항상 바람이 강하게 붑니다.

② 태풍이 올 때는 창문을 꼭 닫아야 합니다.

③ 젖은 신문지를 창문에 붙이면 깨지지 않습니다.

④ 바람이 많이 불어도 창문을 다 닫지 않는 것이 좋습니다.

※ [57~58] **다음을 순서대로 맞게 나열한 것을 고르십시오.**

57. (3점)

(가) 그래서 요리를 직접 만들면서 소개하는 프로그램을 보는 사람이 많아지고 있습니다.
(나) 옛날에는 요리 프로그램이 인기가 없었습니다.
(다) 그런데 요즘은 값도 싸고 쉽게 구할 수 있는 재료들을 사용해서 만듭니다.
(라) 주부들이 들어본 적이 없는 재료들이 너무 많았기 때문입니다.

① (라)-(가)-(나)-(다)
② (나)-(가)-(다)-(라)
③ (라)-(나)-(가)-(다)
④ (나)-(라)-(다)-(가)

58. (2점)

(가) 강아지가 너무 귀여워서 하루 종일 보고 있고 싶었습니다.
(나) 저는 개를 무서워해서 개가 있으면 절대 옆에 가지 않았습니다.
(다) 지금 그 강아지는 저와 세상에서 가장 친한 친구가 되었습니다.
(라) 어느 날 옆집에서 태어난 지 삼 일밖에 안 된 강아지를 주었습니다.

① (다)-(라)-(가)-(나)
② (라)-(나)-(다)-(가)
③ (나)-(라)-(가)-(다)
④ (나)-(다)-(라)-(가)

※ **[59~60] 다음을 읽고 물음에 답하십시오.**

많은 사람들이 첫인상을 중요하게 생각합니다. (㉠) 첫인상이 좋으면 쉽게 마음을 열게 되고 계속 만나고 싶어집니다. 보통은 외모로 첫인상이 결정되기 쉽습니다. (㉡) 하지만 그것보다 더 중요한 것은 오랫동안 좋은 인상을 남기는 것입니다. (㉢) 그리고 마음을 나눌 수 있는 친구가 되는 것입니다. (㉣) 상대방의 말을 잘 들어주십시오. 사람들은 무엇보다도 마음으로 이야기를 들어주는 사람을 좋아하기 때문입니다.

59. 다음 문장이 들어갈 곳을 고르십시오. (2점)

그러면 어떻게 다른 사람에게 좋은 인상을 줄 수 있습니까?

① ㉠　　② ㉡　　③ ㉢　　④ ㉣

60. 이 글의 내용과 같은 것을 고르십시오. (3점)

① 첫인상이 좋지 않으면 다른 사람과 친해질 수 없습니다.

② 다른 사람의 말을 들어주는 사람이 오랫동안 좋은 인상을 남깁니다

③ 오랫동안 좋은 인상을 남기려면 외모를 멋있게 해야 합니다.

④ 첫인상은 하나도 중요하지 않습니다.

※ [61~62] **다음을 읽고 물음에 답하십시오.** (각 2점)

한국 생활은 즐거운 편이지만 가끔 힘들 때도 있습니다. 하고 싶은 말이 있는데 한국어로 잘 말할 수 없을 때 스트레스를 가장 많이 받습니다. 가족들이 보고 싶을 때도 힘듭니다. 그럴 때는 고향 친구들을 만나서 함께 맛있는 음식을 먹으면서 우리 나라 말로 이야기를 합니다. 그러면 마음이 (㉠). 또 다른 방법은 책상을 정리하는 것입니다. 깨끗하게 정리되어 있는 책상을 보면 불안한 마음이 없어지고 편안해집니다.

61. ㉠에 들어갈 알맞은 말을 고르십시오.

① 즐거워야 합니다
② 가벼워집니다
③ 가벼워지면 좋겠습니다
④ 무거울 것입니다

62. 이 글의 내용과 같은 것을 고르십시오.

① 한국어로 이야기하는 것이 전혀 어렵지 않습니다.
② 한국 생활에서 스트레스를 자주 받아서 고향에 돌아가고 싶습니다.
③ 책상을 정리할 때마다 마음이 편해집니다.
④ 고향 친구들을 만날 때도 한국어로 이야기합니다.

※ [63~64] **다음을 읽고 물음에 답하십시오.**

받는 사람 international@school.co.kr
보낸 사람 traditional@dover.net
제　　목 전통 악기 무료 강습

외국인 유학생 여러분

한국의 전통 음악을 체험할 수 있는 기회를 드리려고 합니다. 다음 달 첫 번째 주 금요일부터 매주 한 번씩 한국의 전통 악기를 무료로 가르쳐 드립니다. 오후 1시부터 두 시간 동안 수업합니다. 음대 제2음악실로 오시면 됩니다. 관심 있는 분들의 많은 참석을 바라겠습니다. 단, 학기가 끝난 후부터 새 학기가 시작되기 전까지 두 주간 쉽니다.

한국대학교 전통음악 연구회

63. 전통 음악 연구회에서는 왜 이 글을 썼습니까? (2점)
① 외국인 유학생에게 기회를 주려고
② 전통 악기를 무료로 가르쳐 주려고
③ 전통 음악회에 초대하려고
④ 연구회 모임 쉬는 기간을 알려 주려고

64. 이 글의 내용과 같은 것을 고르십시오. (3점)
① 수업은 매주 금요일 오후 3시 반에 끝납니다.
② 외국인 유학생들은 돈을 내지 않아도 한국 전통악기를 배울 수 있습니다.
③ 수업은 한 주도 쉬지 않고 계속합니다.
④ 다음 주부터 금요일마다 한 번씩 수업을 합니다.

※ **[65~66] 다음을 읽고 물음에 답하십시오.**

환절기에는 기온이 갑자기 떨어지기 때문에 감기 환자가 많아집니다. 어떻게 하면 감기를 예방할 수 있습니까? (　　㉠　　) 먼저 코나 입을 자꾸 손으로 만지면 안 됩니다. 또 손을 자주 씻는 것이 중요합니다. 하루에 여덟 번 이상 씻는 것이 좋습니다. 특히 밖에서 돌아온 다음에는 바로 손을 씻어야 합니다. 반드시 비누로 씻으십시오. 다음으로 옷을 따뜻하게 입어야겠습니다. 환절기에는 오전과 오후의 기온 차이가 크기 때문입니다. 또 따뜻한 물을 자주 마시는 것도 감기 예방에 도움이 됩니다.

65. ㉠에 들어갈 알맞은 말을 고르십시오. (2점)

① 감기에 걸린 후에　　② 감기에 걸렸으니까

③ 감기에 걸리지 않으려면　　④ 감기에 걸린 적이 있으면

66. 이 글의 내용과 같은 것을 고르십시오. (3점)

① 손을 씻을 때 비누를 사용하지 않아도 됩니다.

② 집에 돌아와서 조금 후에 손을 씻습니다.

③ 날씨가 춥기 때문에 따뜻한 물을 마셔도 감기에 걸리기 쉽습니다.

④ 오후에 갑자기 추워질 수 있으니까 따뜻한 옷을 입어야 합니다.

※ [67~68] **다음을 읽고 물음에 답하십시오. (각 3점)**

> 저는 중고품 가게에 자주 가는 편입니다. 그 곳에는 대부분 일상생활에서 보는 물건들을 팝니다. 모두 다른 사람들이 사용한 적이 있는 것이지만 그 중에는 새 것처럼 품질이 좋은 것도 있습니다. 새 책처럼 보이는데 값이 싼 책들도 많습니다. 중고품 가게에서 제가 특히 좋아하는 것은 옛날 물건입니다. 요즘에는 구하기 어려운 옛날 사진기를 볼 수 있습니다. 또 우리가 (　　㉠　　) 신기한 가구들도 구경할 수 있습니다. 지금은 보기 어려운 옛날 물건들을 구경하는 것이 제 취미입니다. 그런 물건들을 보면서 옛날의 생활 모습을 상상하는 것이 정말 재미있습니다.

67. ㉠에 들어갈 알맞은 말을 고르십시오.

① 본 적이 없는　　② 자주 볼 것 같은

③ 값이 비싸 보이는　　④ 만든 지 오래된

68. 이 글의 내용과 같은 것을 고르십시오.

① 중고품 가게에서는 자주 볼 수 없는 물건들만 팝니다.

② 중고품 가게에서 파는 물건들은 모두 새 것입니다.

③ 신기한 옛날 물건들을 보면서 그 때의 생활을 상상하면 즐겁습니다.

④ 제 취미는 신기한 옛날 물건을 모으는 것입니다.

※ [69~70] **다음을 읽고 물음에 답하십시오. (각 3점)**

> 겨울이 지나고 따뜻한 봄이 되면 사람들이 밖에 나가고 싶어합니다. 겨울에는 날씨가 맑아도 춥기 때문에 보통 나가지 않습니다. 하지만 봄은 겨울과 다르게 밖에서 활동하기 좋은 계절입니다. 그래서 꽃구경을 가거나 공원에서 산책을 하는 사람들이 많아집니다. 그런데 봄에 외출할 때는 한 가지를 조심해야 합니다. 봄의 햇빛은 가을의 햇빛보다 더 강합니다. 그래서 봄날 햇빛 아래에서 돌아다니면 얼굴이 쉽게 탑니다. 그리고 피부도 (　　㉠　　).

69. ㉠에 들어갈 알맞은 말을 고르십시오.

① 관리하면 됩니다　　② 좋아집니다

③ 지울 수 있습니다　　④ 상하기 쉽습니다

70. 이 글의 내용으로 알 수 있는 것은 무엇입니까?

① 겨울에 춥지만 밖에서 활동하는 사람들이 많습니다.

② 봄에 밖에서 활동할 때는 햇빛을 조심하는 게 좋겠습니다.

③ 사람들은 계절에 상관없이 외출하는 것을 좋아합니다.

④ 봄의 햇빛이 강하기 때문에 사람들이 자주 밖에 나가지 않습니다.

第三回 模擬試題 解答表 完全解析

第三回模擬試題　解答表

考試回數：第三回模擬試題　　考試等級：TOPIK I　　領域：聽力

題號	解答	配分	題號	解答	配分
1	④	4	16	④	4
2	③	4	17	②	3
3	①	3	18	③	3
4	③	3	19	①	3
5	②	4	20	②	3
6	④	3	21	③	3
7	④	3	22	③	3
8	④	3	23	①	3
9	②	3	24	④	3
10	②	4	25	④	3
11	①	3	26	②	4
12	②	3	27	③	3
13	④	4	28	①	4
14	③	3	29	③	3
15	①	4	30	②	4

考試回數：第三回模擬試題　　考試等級：TOPIK I　　領域：閱讀

題號	解答	配分	題號	解答	配分
31	③	2	51	③	3
32	②	2	52	②	2
33	③	2	53	①	2
34	④	2	54	②	3
35	①	2	55	③	2
36	②	2	56	④	3
37	①	3	57	④	3
38	④	3	58	③	2
39	③	2	59	④	2
40	④	3	60	②	3
41	④	3	61	②	2
42	③	3	62	③	2
43	①	3	63	②	2
44	②	2	64	②	3
45	③	3	65	③	2
46	④	3	66	④	3
47	③	3	67	①	3
48	②	2	68	③	3
49	②	2	69	④	3
50	③	2	70	②	3

第三回模擬試題　完全解析

TOPIK I 聽力（第1題～第30題）

※ [1~4] **다음을 듣고 〈보기〉와 같이 물음에 맞는 대답을 고르십시오.** MP3 | 63

請聽下列對話，並參考<範例>選出符合問題的回答。

1. (4점) (4分) MP3 | 64

여자：물을 마셔요? 女生：喝水嗎？ 남자：________________ 男生：________________

① 네, 물이에요. 對，是水。

② 아니요, 물이 없어요. 不，沒有水。

③ 네, 물이 있어요. 對，有水。

❹ 네, 물을 마셔요. 對，喝水。

解題 女生問「물을 마셔요?」（喝水嗎？），對此男生應回答「네, 물을 마셔요.」（對，喝水。）或「아니요, 물을 안 마셔요.」（不，不喝水）。

答案 ④ 네, 물을 마셔요. 對，喝水。

❗關鍵語彙： 물 水　　마시다 喝　　아니다 不是
있다 有　　없다 沒有

❗關鍵文法： N을/를＋V 做～行動（을/를為受格助詞）
N이다/아니다 是／不是N

2. (4점) (4分) MP3 | 65

남자 : 사과가 많아요?
男生：蘋果很多嗎？
여자 : ____________
女生：____________

① 아니요, 사과가 아니에요. 不，不是蘋果。
② 아니요, 사과예요. 不，是蘋果。
❸ 네, 사과가 많아요. 對，蘋果很多。
④ 네, 사과를 좋아해요. 對，喜歡蘋果。

解題 男生問蘋果有沒有很多，對此女生針對問題要以「네, 사과가 많아요.」（對，蘋果很多。）、「아니요, 사과가 안 많아요.」（不，蘋果不多。）或是「아니요, 사과가 없어요.」（不，沒有蘋果。）等來回答。

答案 ③ 네, 사과가 많아요. 對，蘋果很多。

❗**關鍵語彙：**사과 蘋果　　많다 很多

❗**關鍵文法：**N이/가 있다/없다/많다 有 / 沒有 / 很多N

3. (3점) (3分) MP3 | 66

남자 : 언제 친구를 만나요?
男生：什麼時候和朋友見面？
여자 : ____________
女生：____________

❶ 오후에 만나요. 下午見面。
② 내일 도서관에 가요. 明天去圖書館。
③ 친구하고 영화를 봐요. 和朋友看電影。
④ 커피숍에서 만나요. 在咖啡廳見面。

解題 這一題需要知道「언제」（什麼時候）這個疑問詞。男生問何時，對此女生應該回答「時間」。

答案 ① 오후에 만나요. 下午見面。

❗關鍵語彙： 언제 什麼時候　　친구를 만나다 見朋友
오후 下午　　내일 明天
도서관에 가다 去圖書館　　영화를 보다 看電影

❗關鍵文法： N（時間）에 在N（時間）的時候
N（場所）에 가다/오다 去、來N（場所）
N하고 和N
N（場所）에서＋V 在N（場所）做V（動作）

4. (3점) (3分) MP3 | 67

남자：어제 어디에 있었어요? 男生：你昨天在哪裡？ 여자：＿＿＿＿＿＿＿＿＿＿＿＿ 女生：＿＿＿＿＿＿＿＿＿＿＿＿

① 회사에서 일해요. 在公司上班。

② 학교에 안 가요. 不去上學。

❸ 집에 있었어요. 在家。

④ 내일 병원에 갈 거예요. 明天要去看醫生。

解題 這一題要知道「어디」（哪裡）這個疑問詞，同時也要知道過去式的時間名詞和語尾。男生問時間名詞「어제」（昨天）以及疑問詞「어디」（哪裡），所以女生要用過去式語尾回答。

答案 ③ 집에 있었어요. 在家。

❗關鍵語彙： 어제 昨天　　어디 哪裡　　있다 在
집 家　　내일 明天

❗關鍵文法： N（場所）에 있다/없다 在 / 不在N（場所）
N（場所）에서 V 在N（場所）做～
안 不
A；V＋았/었/였어요 （過去式語尾）
N（場所）에 가다/오다 去 / 來N（場所）
V＋(으)ㄹ 거예요 要做～

※ [5~6] **다음을 듣고 〈보기〉와 같이 이어지는 말을 고르십시오.** MP3 | 68

請聽下列對話，並參考<範例>選出接下來的對話。

5. (4점) (4分) MP3 | 69

여자 : 여보세요. 박 선생님 좀 부탁합니다.
女生：喂。麻煩請朴先生聽電話。
남자 : ______________________
男生：______________________

① 오랜만이에요. 好久不見。
❷ 잠시만 기다리세요. 請稍等。
③ 잘 부탁드립니다. 請多多指教。
④ 만나서 반가워요. 很高興和你見面。

解題 這一題測驗接聽電話該如何應對。女生在電話中找朴先生，這時男生應以「잠시만 기다리세요.」（請稍等。）或是「없는데요./안 계신데요.」（不在。）等句子來回答。

答案 ② 잠시만 기다리세요. 請稍等。

❶ **關鍵語彙：** 여보세요 喂
부탁하다 （在電話中）麻煩請～聽電話
부탁드리다 請指教
잠시만 기다리세요 請稍等
오랜만이에요 好久不見
반갑다 很高興（見面、認識）

6. (3점) (3分) MP3 | 70

남자 : 많이 파세요.
男生：祝您生意興隆。
여자 : ______________________
女生：______________________

① 어서 오세요. 歡迎光臨。
② 많이 드세요. 請多多享用。
③ 안녕히 계세요. 再見。
❹ 감사합니다. 또 오세요. 謝謝。歡迎再度光臨。

第三回 模擬試題 解答表 完全解析

解題 一般在餐廳或店裡，客人消費後要離開時，常常會對店家說「많이 파세요.」（祝您生意興隆。）。對此，店家一般會用「안녕히 가세요.」（再見。）或是「감사합니다. 또 오세요.」（謝謝。歡迎再度光臨。）等句子來回應。

答案 ④ 감사합니다. 또 오세요. 謝謝。歡迎再度光臨。

❶ 關鍵語彙： 많이 很多　팔다 賣　안녕히 계세요 再見
또 又　드시다 吃（「먹다」的敬語）

❶ 關鍵文法： V+（으）세요 請你做~

※ [7~10] **여기는 어디입니까? 〈보기〉와 같이 알맞은 것을 고르십시오.** MP3 I 71

這裡是哪裡？請參考<範例>並選出適合的選項。

7. (3점) (3分) MP3 I 72

> 남자 : 저기요. 빨간색 볼펜은 없어요?
> 男生：不好意思請問一下，沒有紅色的原子筆嗎？
> 여자 : 잠시만요. 찾아 드릴게요.
> 女生：請稍等。我幫您找找。

① 가게 店　② 미용실 美容院
③ 영화관 電影院　❹ 문구점 文具店

解題 這題的解題關鍵是「빨간색 볼펜」（紅色原子筆）、「찾아 드릴게요」（我幫您找找）。從這些語彙可以推測二人對話的場所是「문구점」（文具店），男生想要買紅色原子筆。

答案 ④ 문구점 文具店

❶ 關鍵語彙： 저기요 不好意思請問一下　빨간색 紅色
볼펜 原子筆　잠시만요 請稍等
찾아 드리다 幫您找（「드리다」為「주다」的敬語）

❶ 關鍵文法： V+아/어/여 드릴게요
我來幫您做~（比「아 / 어 / 여 줄게요」更客氣的講法）

8. (3점) (3分) MP3 | 73

여자 : 죄송한데요, 어린이 과학 잡지가 5층에 있어요? 女生：不好意思，請問兒童科學雜誌在5樓嗎？ 남자 : 잡지는 모두 8층에 있습니다. 男生：雜誌都在8樓。

① 우체국 郵局　② 박물관 博物館
③ 병원 醫院　❹ 도서관 圖書館

解題 從「잡지」（雜誌）一詞可以得知二人對話的場所不是「서점」（書店）就是「도서관」（圖書館）。

答案 ④ 도서관 圖書館

❗ **關鍵語彙：** 죄송한데요 不好意思　잡지 雜誌
5층 5樓　8층 8樓

❗ **關鍵文法：** N（場所）에 있다 在N（場所）

9. (3점) (3分) MP3 | 74

남자 : 서울에서 출발한 비행기가 몇 시에 도착해요? 男生：從首爾出發的飛機幾點會到？ 여자 : 30분 후에 도착합니다. 女生：30分鐘後會到。

① 지하철역 捷運站　❷ 공항 機場
③ 버스 정류장 公車站　④ 공원 公園

解題 從男生說的「비행기」（飛機）、「출발」（出發）、「도착」（到達）等語彙，可以推測出二人在「공항」（機場）。女生告訴男生飛機何時到，由此可知女生可能是機場服務台的職員。

答案 ② 공항 機場

❶ 關鍵語彙：서울 首爾　출발하다 出發　비행기 飛機
몇 시 幾點　도착하다 到達　후 （時間）後

❶ 關鍵文法：N（場所）에서 從N（場所）
V+（으）ㄴ+N 過去做的～（動詞過去式冠形詞，修飾後面的名詞）
N（時間）에 在N（時間）的時候（에為接在時間名詞後面的助詞）

10. (4점) (4分) MP3 | 75

여자 : 통장을 만들고 싶은데요.
女生：我想要辦理存摺。
남자 : 네. 그럼 여기 신청서를 쓰시고 잠깐 신분증을 보여 주세요.
男生：好。那麼這裡申請表請填一下，還有請給我看身分證。

① 교실 教室　❷ 은행 銀行
③ 회사 公司　④ 공항 機場

解題 從「통장」（存摺）、「신청서」（申請表）等語彙，可以得知這裡是「은행」（銀行）。

答案 ② 은행 銀行

❶ 關鍵語彙：통장 存摺　만들다 辦理、製作
신청서 申請書　쓰다 寫
신분증 身分證
보이다 給～看（「보다」的使動詞）

❶ 關鍵文法：V+고 싶다 想做～
A；V+고～ 還有～
V+아/어/여 주세요 請幫我做～

※ [11~14] **다음은 무엇에 대해 말하고 있습니까? 〈보기〉와 같이 알맞은 것을 고르십시오.** MP3 I 76

以下在談論關於什麼？請參考<範例>並選出適合的選項。

11. (3점) (3分) MP3 I 77

여자 : 내일 어디에서 만날까요?
女生：我們明天要在哪裡見面呢？
남자 : 10시에 버스 정류장에서 봐요.
男生：10點在公車站見。

❶ 약속 約定　② 시간 時間
③ 쇼핑 購物　④ 날씨 天氣

解題 兩人在談明天的「약속」（約定）。

答案 ① 약속 約定

❗關鍵語彙： 어디 哪裡　만나다 見面　버스 公車
정류장 車站　보다 看

❗關鍵文法： N（時間）에 在N（時間）　N（場所）에서 在N（場所）
V+(으)ㄹ까요？ 要不要～？

12. (3점) (3分) MP3 I 78

남자 : 보통 회사까지 뭐 타고 와요?
男生：妳來公司通常搭什麼交通工具？
여자 : 지하철을 타고 와요. 그런데 집이 멀어서 두 번 갈아타요.
女生：我搭捷運來。但因為家很遠，所以轉乘二次。

① 주말 週末　❷ 교통 交通
③ 장소 場所　④ 여행 旅行

解題 從「타고 오다」（搭～來）、「지하철」（捷運）、「갈아타다」（轉乘）等語彙，可以知道二人正在談論「교통」（交通）。

答案 ② 교통 交通

❗**關鍵語彙**：타고 오다 搭乘～來　지하철 捷運　멀다 遠
두 번 兩次　갈아타다 轉搭

❗**關鍵文法**：N（場所）까지 到N（場所）　A；V＋아/어/여서 因為～

13. (4점) (4分) MP3 | 79

> 남자 : 밖에 바람이 불어요?
> 男生：外面颳風嗎？
> 여자 : 네, 바람이 많이 불어서 추워요.
> 女生：對，風很大，所以會冷。

① 약속 約定　② 달력 月曆
③ 고향 家鄉　❹ 날씨 天氣

解題 從「바람이 불다」（颳風）、「춥다」（冷）等語彙，可以得知二人正在談論「날씨」（天氣）。

答案 ④ 날씨 天氣

❗**關鍵語彙**：바람이 불다 颳風　많이 很多　춥다 寒冷

❗**關鍵文法**：A；V＋아/어/여서 因為～

14. (3점) (3分) MP3 | 80

> 남자 : 테니스를 칠 줄 알아요?
> 男生：妳會打網球嗎？
> 여자 : 아니요, 테니스는 못 치지만 수영은 잘해요.
> 女生：不，我不會打網球，但是很會游泳。

① 약속 約定　② 시간 時間
❸ 운동 運動　④ 소개 介紹

解題 從「테니스」（網球）、「수영」（游泳）等語彙可以知道二人對話的主題是「운동」（運動）。

答案 ③ 운동 運動

❗關鍵語彙： 테니스를 치다 打網球　수영하다 游泳　잘하다 很會、很厲害

❗關鍵文法： V+(으)ㄹ 줄 알다/모르다 會／不會做～　못 不會～、不能～
A；V+지만 雖然～

※ **[15~16] 다음 대화를 듣고 알맞은 그림을 고르십시오. (각 4점)** MP3 | 81

請聽以下對話，並選出正確的圖畫。（各4分）

15. MP3 | 81

남자 : 저기 죄송한데요, 5층 좀 눌러 주실 수 있어요? 제가 짐이 많아서요.
男生：那個……不好意思，可以幫我按5樓嗎？ 因為我手上東西很多。
여자 : 5층이요? 네, 알겠어요.
女生：5樓嗎？好，我知道了。

❶

②

③

④

解題　「5층」（5樓）、「누르다」（按）、「짐이 많다」（東西多）等語彙，可以聽出男生手上東西很多，因此請女生幫忙。

答案　①

第三回 模擬試題 解答表 完全解析

❗關鍵語彙： 5층 5樓　　누르다 按

짐 東西、行李　　많다 多

❗關鍵文法： V+아/어/여 주다 幫忙做～　　V+(으)ㄹ 수 있다 可以做～

16. MP3 | 82

남자 : 달리기를 하니까 좋지요? 아침 일찍 신선한 공기도 마시고요.

男生：跑步感覺很好對吧？ 一大清早也可以呼吸新鮮的空氣。

여자 : 네, 운동하는 사람이 많네요. 앞으로 자주 이렇게 같이 달리기 해요.

女生：對啊，運動的人很多呢。我們以後要常常這樣一起跑步。

①

②

③

❹

解題 二人早上一起跑步。女生讚嘆周圍運動的人不少，所以和男生建議以後要像現在一樣常常一起跑步。

答案 ④

❗關鍵語彙： 달리기를 하다 跑步　　아침 일찍 一大清早　　신선하다 新鮮

공기 空氣　　마시다 呼吸、喝　　운동하다 運動

이렇게 如此、這樣　　같이 一起

❗關鍵文法：A；V+지요? ～對吧？　　　같이 아/어/여요 一起做～

※ [17~21] **다음을 듣고 〈보기〉와 같이 대화 내용과 같은 것을 고르십시오. (각 3점)** MP3 | 83

請聽下列對話，並參考<範例>選出和對話內容一致的選項。（各3分）

17. MP3 | 83

여자：어제 콘서트 갔다 왔지요? 처음 가 본 콘서트인데 느낌이 어땠어요?
女生：你昨天去了演唱會對吧？第一次去看演唱會覺得如何？
남자：글쎄요. 아마 너무 기대를 한 것 같아요. 저는 생각보다 좀 별로였어요.
男生：這個嘛。可能太期待了吧。沒有想像中的好看。
여자：다음에는 같이 즐거워할 수 있는 친구와 함께 가세요. 그럼 훨씬 재미있을 거예요.
女生：下次和可以一起享受的朋友一起去吧。那樣應該會更好玩。

解題 ① 여자는 어제 콘서트에 갔다 왔습니다.
女生昨天去了演唱會。 不符 → 是男生。

❷ 남자는 전에 콘서트에 가 본 적이 없습니다.
男生以前沒去過演唱會。 相符 → 女生和男生搭話時提到男生是第一次看演唱會。

③ 남자는 콘서트를 별로 기대하지 않았습니다.
男生對演唱會沒有很大的期待。 不符 → 男生說，好像期待太大。

④ 남자는 콘서트를 아주 재미있게 봤습니다.
男生看演唱會看得非常有趣。 不符 → 男生說，不如他的期待。

答案 ② 남자는 전에 콘서트에 가 본 적이 없습니다.
男生以前沒去過演唱會。

❗關鍵語彙：
콘서트 演唱會　　갔다 오다 去一趟　　처음 가다 第一次去
느낌 感覺　　기대하다 期待　　별로이다 不怎麼樣
즐거워하다 開心　　함께 一同、一起　　훨씬 更多地
재미있다 有趣

❗關鍵文法： A；V＋지요? ～對吧？
V＋(으)ㄴ/는 것 같다 好像～
A；V＋(으)ㄹ 것이다 應該會～
V＋(으)ㄴ 적이 있다/없다 曾 / 不曾做過～
별로～지 않다 不太～
V＋아/어/여 보다 試著做～
N보다 比起N
V＋(으)ㄹ 수 있다 可以做～

18. MP3 | 84

여자：새 학기라서 아이에게 사 줄 책가방을 보려고 하는데요.
女生：因為是新學期，想要看一下買給孩子的書包。
남자：이거 어떠세요? 요즘 새로 나온 상품인데 디자인이 아주 예뻐요.
男生：這個如何？是最近新出的商品，款式也很漂亮。
여자：그런데 가방 안이 좀 작아 보여요. 책이 많이 안 들어가겠어요.
女生：但是書包裡面看起來有點小。可能沒辦法裝很多書。
남자：그럼 더 큰 걸로 보여 드릴까요? 그런데 그건 좀 무거워요.
男生：那麼要給您看更大的嗎？但是那個有點重。

解題 ① 여자는 가방이 예쁘기 때문에 좋아합니다.
書包漂亮，所以女生喜歡。 不符 → 書包漂亮，但不能裝很多書。
② 요즘 새로 나온 가방은 가격이 비쌉니다.
最近新出的書包價格昂貴。 不符 → 對話中沒有提到。
❸ 남자가 보여 준 책가방은 책을 많이 넣을 수 없습니다.
男生給女生看的書包無法裝很多書。 相符 → 裡面小，不能裝很多書。
④ 남자는 여자에게 다른 가방을 보여 주었습니다.
男生給女生看了別的書包。 不符 → 還沒給女生看。

答案 ③ 남자가 보여 준 책가방은 책을 많이 넣을 수 없습니다.
男生給女生看的書包無法裝很多書。

❗關鍵語彙： 새 학기 新學期　책가방 書包　새로 新（副詞）
나오다 出來　상품 商品　디자인 款式、設計
안 不　작다 小　들어가다 進去
큰 거 大的　무겁다 重

❶ **關鍵文法**：N(이)라서 因為是N　　V+아/어/여 주다 幫忙做～
A；V+(으)ㄹ 要～的　　V+(으)려고 하다 打算做～
A+아/어/여 보이다 看起來～
V+아/어/여 드릴까요? 要幫您～嗎？
A+(으)ㄴ 거 （形容詞）～的

19. MP3 | 85

남자 : 어디 아파요? 얼굴이 안 좋아요.
男生：哪裡不舒服嗎？臉色不太好。
여자 : 머리가 아프고 열이 나요. 감기에 걸린 것 같아요.
女生：頭痛還有發燒。可能是感冒了。
남자 : 감기에 걸리면 잘 쉬고 약도 먹어야 해요. 약은 먹었어요?
男生：感冒的時候要好好休息，也要吃藥。藥吃了嗎？
여자 : 아까 한 번 먹었는데 효과가 없는 것 같아요.
女生：剛才吃過一次了，但好像沒效果。

解題 ❶ 여자는 약을 먹었지만 좋아지지 않았습니다.
女生吃了藥，但沒有好起來。 相符 → 女生說吃了藥，但沒效果。
② 여자는 감기가 거의 다 나았습니다.
女生感冒幾乎快好了。 不符 → 女生感冒了，在吃藥。
③ 남자는 여자에게 약을 주었습니다.
男生把藥給女生吃。 不符 → 男生只有問女生有沒有吃藥。
④ 감기에 걸렸을 때는 약을 먹기만 하면 됩니다.
感冒的時候，只要吃藥就好。 不符 → 男生說要好好休息，也要吃藥。

答案 ① 여자는 약을 먹었지만 좋아지지 않았습니다.
女生吃了藥，但沒有好起來。

❶ **關鍵語彙**：아프다 不舒服　　얼굴 臉　　머리가 아프다 頭痛
열이 나다 發燒　　잘 쉬다 充分休息　　감기에 걸리다 感冒
약을 먹다 吃藥　　효과 效果　　아까 剛才

❗關鍵文法： V+(으)ㄴ/는 것 같다 好像～　A；V+(으)면 若～的話
A；V+아/어/여야 하다 應該要～

20. MP3 | 86

여자 : 저기 '김영미'라는 이름으로 저녁 7시 네 사람 예약했는데요.
女生：那個，我用「金英美」的名字訂了晚上7點四個人。
남자 : 네, 예약되어 있습니다. 네 분 모두 도착하셨습니까?
男生：是，你有訂位。請問四位都到了嗎？
여자 : 아니요, 두 사람은 좀 늦게 올 거예요. 저희 두 사람부터 먼저 식사를 내 주세요.
女生：沒有，有二位應該會晚點來。我們二個人的餐點請先出給我們。
남자 : 알겠습니다. 그럼 자리로 안내해 드리겠습니다.
男生：我知道了。那讓我幫您帶位。

解題 ① 지금 네 사람 모두 식당에 있습니다.
現在四個人全都在餐廳。 不符 → 有二個人會晚到。
❷ 손님 중 두 사람은 7시가 넘어서 올 것입니다.
客人中有二位可能要過7點後才會到。 相符 → 訂位時間為7點，女生說有二位會晚到，因此他們是要過7點後才會來。
③ 식사는 네 사람이 다 온 후에 시작합니다.
四個人都到後才開始用餐。 不符 → 先到的女生和另一位客人先吃。
④ 여자는 식당에 오기 전에 미리 예약을 하지 않았습니다.
女生來餐廳前，沒有事先訂位。 不符 → 女生以「김영미」（金英美）的名字事先訂了位。

答案 ② 손님 중 두 사람은 7시가 넘어서 올 것입니다.
客人中有二位可能要過七點後才會到。

❗關鍵語彙：

7시 7點	예약하다 預約、訂位	도착하다 到達
모두 都	늦게 晚	먼저 事先
식사 餐點	내다 交出、上（菜）	자리 座位
안내하다 指引、引導	손님 客人	넘다 超過
시작하다 開始	미리 預先	

❶ **關鍵文法：** V+아/어/여 있다 做～著（表示動作結束後，狀態的持續）

V+(으)ㄹ 것이다 （猜測）可能會～

겠 要（意志）

V+아/어/여서 行動前後順序（前面行動完成後接著做）

V+(으)ㄴ 후에 做～之後 ↔ V+기 전에 做～之前

21. MP3 I 87

여자 : 내일 태풍이 올 것 같아요. 우리 야외 음악회에 가기로 했는데 어떡하죠?

女生：明天好像颱風會來。我們約好要去戶外音樂會，怎麼辦？

남자 : 태풍이 와요? 그럼 음악회도 취소되겠네요.

男生：颱風來嗎？那音樂會也可能會取消吧。

여자 : 아마 그럴 것 같아요. 다른 동료들한테 이야기해서 다음으로 미루는 게 어떨까요?

女生：應該吧。告訴其他同事們，延後到下一次如何？

남자 : 그러는 게 좋겠어요. 모두에게 이야기 좀 전달해 주시겠어요?

男生：這樣比較好。麻煩您向大家傳達這消息好嗎？

解題 ① 남자는 동료들에게 이야기를 전달할 것입니다.

男生會向同事們轉告消息。 不符 → 要向同事們轉告消息的不是男生而是女生。

② 음악회는 태풍이 와도 계획대로 열립니다.

即使颱風來，還是會照計畫舉行音樂會。 不符 → 二人猜測音樂會應該會取消。

❸ 야외 음악회가 원래 내일 있을 예정이었습니다.

戶外音樂會原本預定在明天舉行。 相符 → 明天颱風要來，所以音樂會可能會取消。

④ 음악회는 남자와 여자 두 사람만 가기로 했습니다.

男生和女生約好只有他們二人去音樂會。 不符 → 二人正在說要和同事們傳達消息，且說延後到下次一起去，表示原本是和大家約好，不是只有他們二人。

答案 ③ 야외 음악회가 원래 내일 있을 예정이었습니다.

戶外音樂會原本預定在明天舉行。

❗**關鍵語彙：** 태풍이 오다 颱風來　　야외 음악회 戶外音樂會
취소되다 取消　　동료 同事
모두 全都　　이야기하다 聊天、談話
미루다 延後　　전달하다 傳達、轉告

❗**關鍵文法：** A；V+(으)ㄹ 것 같다 好像會～
N한테/에게 이야기하다 和N說、告訴N
V+는 게 어떨까요/어때요? 做～如何？
V+는 게 좋겠다 （我想）做～比較好
V+아/어/여 주시겠어요? 請您（幫我）做～好嗎？
V+기로 하다 決定要做～

※ [22~24] **다음을 듣고 여자의 중심 생각을 고르십시오. (각 3점)** MP3 | 88

請聽下列對話，並選出女生的核心想法。（各3分）

22. MP3 | 88

남자 : 아이가 조금 있으면 방학인데 공부는 안 하고 놀기만 할까 봐 걱정돼요.
男生：孩子再不久就要放假，擔心他不念書只顧著玩。
여자 : 그것보다는 아이가 규칙적으로 생활하는 습관을 가지는 게 중요할 것 같아요.
女生：比起那點，我想孩子有規律的生活習慣比較重要。
남자 : 그렇군요. 어떻게 하면 게을러지지 않을 수 있을까요?
男生：這樣啊。要怎麼做才能不會變得懶惰？
여자 : 아이가 계획표를 직접 만드는 게 좋아요. 만들 때 부모님이 옆에서 도와 주시고 계획표를 잘 지키면 여러 가지 방법으로 칭찬해 주세요.
女生：孩子親自做計劃表比較好。做的時候父母在身旁幫助他，若他好好遵守計劃表，請用各種方法稱讚他。

解題 女生表示有規律的生活習慣很重要。

① 방학에 아이가 공부를 하지 않을까 봐 걱정됩니다.
擔心小孩放假不念書。 不符 → 是男生在擔心孩子不念書，並不是女生的核心想法。

② 아이가 직접 계획표를 만들어야 합니다.
孩子應該親自做計劃表。 不符 → 做計劃表只是為了養成良好生活習慣的方法之一，並不是女生的核心想法。

❸ 규칙적인 생활 습관이 중요합니다.

有規律的生活習慣很重要。 相符 → 女生一開始就講明規律的生活習慣重要，並建議做計劃表或者讓父母多稱讚孩子等方法。

④ 부모는 아이를 자주 칭찬해 주어야 합니다.

父母應該常常稱讚孩子。 不符 → 為了培養有規律的生活習慣，女生建議父母多稱讚孩子。內容無誤，但不是女生的核心想法。

答案 ③ 규칙적인 생활 습관이 중요합니다. 有規律的生活習慣很重要。

❗關鍵語彙：

아이 孩子	방학 放假	놀다 玩
걱정되다 擔心	규칙적으로 規律的	생활하다 生活
습관 習慣	가지다 擁有	중요하다 重要
게을러지다 變懶惰	계획표 計劃表	직접 親自
만들다 製作	돕다 幫助	지키다 維持、遵守
여러 가지 多種、各種	칭찬하다 稱讚	방법 方法

❗關鍵文法：

V+기만 하다 只做～	A；V+(으)ㄹ까 봐 擔心會～
N보다 比起N	A；V+(으)면 若～的話
A+아/어/여지다 （形容詞）變得～	
V+는 게 좋다 最好做～	

23. MP3 I 89

남자：이번에 이사 가지요? 지금 살고 있는 집이 근처에 백화점도 있고 지하철역도 있어서 살기 편한 것 같은데요. 왜 이사를 가요?

男生：這次要搬家對吧？現在住的地方附近有百貨公司也有捷運站，生活應該很便利。為什麼要搬家？

여자：살기 좋기는 한데 너무 시끄럽고 복잡해요. 이번에 이사 가는 곳은 공기도 맑고 조용해서 좋아요.

女生：的確方便居住，但太吵也太複雜了。這次要搬過去的地方空氣清新又安靜，覺得很好。

남자：건강에 좋겠네요. 그런데 좀 멀어서 불편할 것 같은데요.

男生：應該對健康很好吧。可是有點遠，可能會不方便。

여자 : 편리한 것도 좋지만 저한테는 몸과 마음이 편한 게 더 중요해요.
女生：雖然便利也很好，但對我來說身心放鬆更重要。

解題 要注意女生搬家的原因，她說身心放鬆比居住環境重要。

❶ 몸과 마음의 건강이 편리함보다 더 중요합니다.

身心健康比便利性更重要。 相符 → 女生注重健康。因此即使會有點不方便，但還是選擇了空氣清新又安靜的地方。

② 공기가 맑은 곳으로 이사를 가고 싶습니다.

想搬到空氣清新的地方。 不符 → 女生已經決定要搬到空氣好的地方了。

③ 새로 이사하는 곳이 멀어서 교통이 불편합니다.

新搬過去的地方很遠，因此交通不方便。 不符 → 非女生的核心想法，對女生來說，舒適安靜的環境比交通方便更重要。

④ 지금 사는 곳은 복잡해서 마음에 들지 않습니다.

現在住的地方很複雜，因此不喜歡。 不符 → 女生的確不喜歡現在生活的環境，但這點並非女生對話內容的核心想法。

答案 ① 몸과 마음의 건강이 편리함보다 더 중요합니다.

身心健康比便利性更重要。

❗關鍵語彙：
- 이사 가다 搬家
- 살다 居住
- 집 家
- 근처 附近
- 편하다 方便、舒服
- 복잡하다 複雜
- 공기가 맑다 空氣清新
- 건강에 좋다 對健康有益
- 멀다 遠
- 몸 身體
- 마음 心
- 시끄럽다 吵雜 ↔ 조용하다 安靜
- 불편하다 不方便 ↔ 편리하다 方便

❗關鍵文法：
- V+고 있다 正在做～
- V+기 편하다/좋다 方便 / 適合做～
- A；V+(으)ㄹ 것 같다 應該會～
- A；V+기는 하다 的確～
- N보다 比起N

24. MP3 | 90

남자 : 어제 본 영화 어땠어요? 저는 배우들이 연기를 잘하고 대화도 웃겨서 재미있게 봤어요.

男生：昨天看的電影如何？我因為演員們的演技很好，對話也很好笑，覺得好看。

여자 : 네, 저도 재미있었어요. 특히 아버지가 아이들을 생각하는 마음이 너무 감동적이었어요. 영화를 보면서 저희 아버지 생각이 많이 났어요.

女生：對。我也覺得很好看。尤其是父親替孩子們著想的心太感人了。一邊看電影，一邊一直想起爸爸。

남자 : 맞아요. 그래서 저도 집에 가서 아버지께 전화를 드렸어요.

男生：沒錯。所以我回家也打電話給爸爸了。

여자 : 부모의 마음을 이야기하는 영화들은 언제나 감동을 주는 것 같아요.

女生：描繪父母心的電影總是令人感動。

解題 女生在電影中看到父親替兒女著想的心，為此深受感動。

① 영화가 웃기고 재미있었습니다.

電影好笑且好看。 不符 → 這是男生對電影的感想。

② 항상 부모님의 마음에 감사해야 합니다.

要經常感謝父母的心意。 不符 → 二人對話中沒有提及。

③ 아버지를 생각하면서 영화를 보았습니다.

一邊看電影一邊想父親。 不符 → 女生有想到她的父親，但這是因為她被電影中的父愛感動。

❹ 영화가 부모의 사랑에 대해 이야기해서 큰 감동을 받았습니다.

電影描繪父母的愛，因此深受感動。 相符 → 二人在談電影傳達父母對兒女的愛，且對話中說這種內容總是讓人感動。

答案 ④ 영화가 부모의 사랑에 대해 이야기해서 큰 감동을 받았습니다.

電影描繪父母的愛，因此深受感動。

❗關鍵語彙：

영화를 보다 看電影	연기를 잘하다 演技很好
대화 對話	웃기다 搞笑
아이 孩子	재미있다 好看
아버지 父親	마음 心
감동적이다 感人	생각이 나다 想起
감동을 주다 令人感動	언제나 總是

❶ 關鍵文法：V+(으)면서 一邊做～一邊做～
N（場所）에 가서 去N（場所），接著～
A；V+(으)ㄴ/는 것 같다 好像～
A；V+아/어/여야 하다 應該要～

※ [25~26] **다음을 듣고 물음에 답하십시오.** MP3 | 91 請聽下列短文並回答問題。

여자 : (딩동댕동) 손님 여러분께 알려 드립니다. 잠시 후 9시 반부터 30분 동안 지하1층 식품 코너에서 세일이 있습니다. 불고기와 갈비 등 고기류는 20% 할인된 가격으로 드립니다. 배추와 사과 등 야채.과일류는 30% 싼 가격에 드립니다. 단, 고기류와 야채.과일류 모두 손님 한 분이 두 종류씩만 사실 수 있습니다. 싼 가격에 신선한 재료를 구입하실 수 있는 기회를 놓치지 마시기 바랍니다. 감사합니다. (딩동댕동)

女生：（叮咚）謹告知各位顧客。稍後9點半開始30分鐘內，在地下1樓食品區有優惠活動。韓式烤肉及牛小排等肉類以折扣20%的價格提供。大白菜及蘋果等蔬果類以便宜30%的價格提供。但是肉類及蔬果類一位顧客只能各購買二種。請不要錯過以低廉的價格購買新鮮食材的機會。謝謝。（叮咚）

25. 어떤 이야기를 하고 있는지 고르십시오. (3점) 請選出正在談論的內容。（3分）

① 주문 訂購　② 인사 問候
③ 감사 感謝　❹ 안내 介紹、說明

解題 女生向客人介紹優惠活動。

答案 ④ 안내 介紹、說明

26. 들은 내용과 같은 것을 고르십시오. (4점) 請選出與聽到的內容一致的選項。（4分）

解題 ① 모든 상품을 세일합니다.
所有商品都在折扣。 不符 → 只有肉類和蔬果類在折扣。

❷ 세일은 10시까지 합니다.
優惠活動到10點為止。 相符 → 活動從9點半開始持續30分鐘，10點就結束。

③ 손님 한 명이 한 종류씩만 살 수 있습니다.
一位客人只能買一種。 不符 → 可以買二種。

④ 고기류와 야채.과일류 모두 20% 세일합니다.

肉類及蔬果類都折扣20%。 不符 → 肉類折扣20%，蔬果類折扣30%。

答案 ② 세일은 10시까지 합니다. 優惠活動到10點為止。

❗關鍵語彙：

손님 客人	알려 주다 告知	식품 코너 食品區
세일 折扣	싸다 便宜	고기류 肉類
할인되다 打折	가격 價格	야채.과일류 蔬果類
종류 種類	구입하다 購買	사다 買
기회 機會	놓치다 錯過	
N（時間）동안 N（時間）當中		

❗關鍵文法： N（時間）부터 從N（時間）開始　N만 只有N

V+(으)ㄹ 수 있다 可以做～　A；V+기 바라다 希望～

※ [27~28] **다음을 듣고 물음에 답하십시오.** MP3 | 92 請聽下列對話，並回答問題。

남자：제주도에 가는 상품에 대해서 문의하려고 하는데요.

男生：想要詢問有關去濟州島的商品。

여자：그러세요? 이번에 2박3일 상품이 하나 나왔는데요. 평일에 출발하는 거라서 주말 상품보다 가격이 훨씬 싼 편이에요.

女生：是嗎？這次出了一個3天2夜的商品。由於是平日出發，所以比起週末商品便宜很多。

남자：저는 평일이라도 괜찮아요. 지금 휴가 기간이라서요. 언제 출발합니까?

男生：我平日也沒關係。因為現在是休假期間。什麼時候出發？

여자：예약자 세 분이 모이면 언제든지 출발하실 수 있습니다.

女生：有三位訂位者的話，隨時都可以出發。

남자：친구들한테 한 번 알아봐야겠네요. 그런데 관광안내원이 안내하는 건가요?

男生：那要問問看朋友們了。但是是由導遊介紹嗎？

여자：아니에요. 여행 기간과 숙소만 정해져 있고 다른 건 다 자유로워요. 저쪽에 제주도 명소 소개 책자가 있으니까 한 번 보세요.

女生：不是。只有行程和宿舍是定下來，其他都很自由。那邊有濟州島景點介紹指南，請參考一下。

27. 두 사람이 무엇에 대해 이야기하고 있는지 고르십시오. (3점)

請選出二人正在談論的話題。（3分）

① 출발 시기 문의 詢問出發時機 ② 예약자 모집 招募訂位者

❸ 여행 상품 문의 詢問旅行商品 ④ 예약 방법 문의 詢問訂位方法

解題 男生對濟州島旅行商品進行詢問，女生推薦低價商品。

答案 ③ 여행 상품 문의 詢問旅行商品

28. 들은 내용과 같은 것을 고르십시오. (3점) 請選出與聽到的內容一致的選項。（3分）

解題 ❶ 남자는 휴가이기 때문에 언제든지 여행을 떠날 수 있습니다.

因為男生是休假期間，所以隨時都可以去旅行。 相符 → 平日或週末都可以出發。

② 평일에 출발해서 주말에 돌아옵니다.

平日出發，週末回來。 不符 → 是平日出發的旅行商品，但對話中沒提到回程。

③ 일정은 여행사가 정해줍니다.

旅行社會幫忙制定行程。 不符 → 旅行期間和住宿地方以外，出發日期或具體行程等，都由旅客自行決定。

④ 이 상품은 주말 상품과 비교하면 좀 비싼 편입니다.

這商品和週末商品比起來算是有點貴。 不符 → 比週末商品便宜。

答案 ① 남자는 휴가이기 때문에 언제든지 여행을 떠날 수 있습니다.

因為男生是休假期間，所以隨時都可以去旅行。

❗關鍵語彙：

상품 商品 문의하다 詢問 2박3일 3天2夜
나오다 出來 평일 平日 주말 週末
출발하다 出發 훨씬 更～、更加 가격 價格
평일 平日 휴가 休假 기간 期間
언제든지 隨時、任何時候 알아보다 詢問
안내하다 介紹、說明 숙소 住宿處、宿舍 자유롭다 自由

❗關鍵文法：

N에 대해서 對於N N(이)라서 因為N
N보다 比起N A；V+(으)면 若～的話
A；V+(으)ㄴ/는 편이다 偏向是～
A；V+겠 要（意志）

V+아/어/여 있다 做完後持續著（表示動作結束後，狀態的持續）

A；V+(으)니까 因為～

※ [29~30] **다음을 듣고 물음에 답하십시오.** MP3 | 93 請聽下列對話，並回答問題。

남자 : 여보세요? 한 가지 문의하려고 하는데요. 제가 5일 전에 인터넷으로 책을 주문했는데 아직도 책이 안 왔어요.

男生：喂？想要問一件事。我在5天前用網路訂了書，但到現在書還沒來。

여자 : 그러세요? 성함이 어떻게 되십니까?

女生：是嗎？請問貴姓大名？

남자 : 박민수라고 하는데요.

男生：我叫朴敏秀。

여자 : 박민수 씨요, 잠깐만 기다려 주세요. 곧 확인해 드리겠습니다. (벨소리) 박민수 고객님, 주문하신 책은 오늘 오전에 보내 드렸습니다. 내일쯤 받으실 수 있습니다.

女生：朴敏秀先生嗎？請稍等。我馬上幫您確認。（鈴聲）朴敏秀顧客，您訂的書今天早上為您出貨了。大概明天您就可以收到。

남자 : 전에는 아무리 늦어도 이삼일 안에 왔었어요. 그런데 이번에는 왜 이렇게 오래 걸려요?

男生：之前再晚也還是在二三天內送到。但是這次為什麼這麼久？

여자 : 죄송합니다, 고객님. 연휴 때문에 주문량이 갑자기 많아져서 늦어졌습니다.

女生：抱歉，顧客。因為連假的關係，訂購量突然暴增，所以延誤了。

29. 남자는 왜 여자에게 전화를 했습니까? (3점) 男生為什麼打電話給女生？（3分）

① 언제 책을 주문했는지 알려주기 위해서 要告知何時訂了書

② 책의 주문량이 얼마나 되는지 알아보려고 要打聽書的訂購量

❸ 주문한 책이 도착하지 않아서 因為訂的書還沒送到

④ 책을 주문한 사람의 이름을 다시 확인하기 위해서 為了要再次確認訂書者的姓名

解題 男生因為訂的書一直沒收到，因此想要確認送達日期並申訴不滿。

答案 ③ 주문한 책이 도착하지 않아서 因為訂的書還沒送到

30. 들은 내용과 같은 것을 고르십시오. (4점) 請選出和對話內容一致的選項。（4分）

解題 ① 남자는 책을 주문하고 있습니다.

男生正在訂書。 不符 → 男生在五天前訂了書。

❷ 전에 책을 주문하면 이삼일을 넘긴 적이 없었습니다.

之前訂書的話，從沒超過二三天（沒收到）。 相符 → 再晚也會在二三天內送來。

③ 남자는 이틀 후에 책을 받을 수 있습니다.

男生在二天後可以收到書。 不符 → 明天可以收到。

④ 남자가 책을 주문한 지 일주일이 지났습니다.

男生訂書已過了一個星期。 不符 → 男生在五天前訂書。

答案 ② 전에 책을 주문하면 이삼일을 넘긴 적이 없었습니다.

之前訂書的話，從沒超過二三天（沒收到）

❗關鍵語彙：

- 문의하다 詢問
- 주문하다 訂購
- 성함 姓名（「이름」的敬語）
- 고객 顧客
- 보내 드리다 送過去（「보내 주다」的敬語）
- 내일 明天
- 늦다 晚
- 이번 這次
- 걸리다 花（時間）
- 주문량 訂購量
- 늦어지다 變慢
- 인터넷 網路
- 아직도 至今還是
- 확인하다 確認
- 전에 以前、之前
- 이삼일 兩三天
- 오래 久
- 연휴 連假
- 많아지다 變多

❗關鍵文法：

- V+(으)려고 하다 打算做～
- N(으)로 用N
- 아무리～아/어/여도 即使再怎麼～
- N 때문에 因為N
- A+아/어/여지다 （形容詞）變得～
- A；V+아/어/여서 因為～
- N（時間）전에 在N（時間）前
- N(이)라고 하다 叫做N

TOPIK I 閱讀（第31題～第70題）

※ [31~33] 무엇에 대한 이야기입니까? 〈보기〉와 같이 알맞은 것을 고르십시오. (각 2점)

是關於什麼的敘述？請參考<範例>並選出適合的選項。（各2分）

31.

저는 회사원입니다. 매일 출근합니다. 我是上班族。每天上班。

① 시간 時間　② 이름 名字　❸ 직업 職業　④ 장소 場所

解題 「회사원」（上班族）和「출근하다」（上班）都是有關「직업」（職業）的語彙。

答案 ③ 직업 職業

❗**關鍵語彙**：회사원 上班族　매일 每天
출근하다 上班　직업 職業

32.

친구와 도서관에 갑니다. 그리고 공원에 갑니다. 和朋友去圖書館。還有去公園。

① 달력 月曆　❷ 장소 場所　③ 주말 週末　④ 취미 興趣

解題 「도서관」（圖書館）和「공원」（公園）都是有關「장소」（場所）的語彙。

答案 ② 장소 場所

❗**關鍵語彙**：도서관 圖書館　공원 公園
장소 場所　가다 去

❗**關鍵文法**：N（場所）에 가다 去N（場所）　N와/과 和N

33.

봄에는 따뜻하고 꽃이 핍니다. 꽃구경을 하러 갑니다. 春暖花開。去賞花。

① 시간 時間　② 요일 星期　❸ 날씨 天氣　④ 휴일 假日

解題 「봄」（春天）、「따뜻하다」（溫暖）都是有關「날씨」（天氣）的語彙。

答案 ③ 날씨 天氣

> ❗**關鍵語彙**：봄 春天　　따뜻하다 溫暖
> 꽃이 피다 開花　　꽃구경을 하다 賞花

> ❗**關鍵文法**：A；V+고 ～還有　　V+(으)러 가다 去做～

※ [34~39] 〈보기〉와 같이 (　　　　)에 들어갈 가장 알맞은 것을 고르십시오.

請參考<範例>並選出適合填入（　　　　）的選項。

34. (2점) (2分)

> 길을 건너세요. 백화점 앞(　　　　) 오른쪽으로 100미터쯤 가세요.
> 請過馬路。請（　　　　）百貨公司前面往右走約100公尺。

① 에게 向　　② 과 和　　③ 에 往　　❹ 에서 在

解題 這一題要選出適合的助詞。「在百貨公司前面往右走約100公尺」，需要加「在某場所做某動作」的助詞「에서」。

答案 ④ 에서 在

> ❗**關鍵語彙**：길을 건너다 過馬路　　백화점 百貨公司　　앞 前面
> 오른쪽 右邊　　미터 公尺　　쯤 大約、左右

> ❗**關鍵文法**：N（場所）에서 在N（場所）　　N(으)로 가다 往N的方向去

35. (2점) (2分)

> 새 집으로 이사했습니다. 집이 (　　　　).
> 搬到新家了。家很（　　　　）。

❶ 깨끗합니다 乾淨　② 귀엽습니다 可愛　③ 건강합니다 健康　④ 친절합니다 親切

解題 要說明新家的狀態，「깨끗합니다」（乾淨）就是最適合的語彙。

答案 ① 깨끗합니다 乾淨

❗關鍵語彙：새 집 新家　이사하다 搬家　깨끗하다 乾淨
귀엽다 可愛　건강하다 健康　친절하다 親切

❗關鍵文法：N(으)로 이사하다 搬到N

36. (2점) (2分)

날짜를 알고 싶습니다. (　　　　)을 봅니다. 想知道日期。看（　　　　）。

① 영화 電影　❷ 달력 月曆　③ 잡지 雜誌　④ 텔레비전 電視

解題 這一題要清楚前後句子的內容。想知道日期，需要看「月曆」（달력）。

答案 ② 달력 月曆

❗關鍵語彙：날짜 日期　알다 知道　달력 月曆
보다 看　영화 電影　잡지 雜誌
텔레비전 電視

❗關鍵文法：V+고 싶다 想做～

37. (3점) (3分)

근처에 지하철역이 없습니다. 오토바이를 (　　　　). 附近沒有捷運站。（　　　　）摩托車。

❶ 탑니다 騎　② 내립니다 下　③ 갑니다 去　④ 닦습니다 擦

解題 要知道騎摩托車應該用動詞「타다」（騎）。

答案 ① 탑니다 騎

❗關鍵語彙：근처 附近　지하철역 捷運站
없다 沒有　오토바이를 타다 騎摩托車
내리다 下　닦다 擦

❗關鍵文法：N이 가 있다/없다 有 / 沒有N　N을/를 타다 搭乘N；騎N

38. (3점) (3分)

내일 산에 갈 겁니다. 그래서 내일 아침에 ( ) 일어나야 합니다. 明天要去爬山。所以明天早上要（ ）起床。

① 자주 常常　② 아까 剛才　③ 조금 후에 稍後　❹ 일찍 提早

解題 這一題測驗常用的副詞。早起的副詞要用「일찍」（提早）。

答案 ④ 일찍 提早

❗關鍵語彙： 내일 明天　산에 가다 爬山　아침 早上
일찍 提早　일어나다 起床　조금 후에 稍後
자주 常常　아까 剛才

❗關鍵文法： V+(으)ㄹ 것이다 要做～
A；V+아/어/여야 하다 應該要～

39. (2점) (2分)

휴대전화가 고장이 났습니다. 그래서 새 전화로 ( ). 手機壞掉了。所以（ ）新的。

① 읽었습니다 閱讀　② 쳤습니다 打
❸ 바꾸었습니다 更換　④ 만들었습니다 製作

解題 這一題的關鍵動詞是「고장나다」（壞掉、故障），因為壞掉，所以換新手機，「換」的韓文是「바꾸다」。也要留意句子使用的是過去式語尾。

答案 ③ 바꾸었습니다 換

❗關鍵語彙： 휴대전화 手機　고장이 나다 壞掉、故障
새 新的　바꾸다 換
만들다 製作　치다 打
읽다 閱讀

❗關鍵文法： N(으)로 바꾸다 換成N

[40~42] **다음을 읽고 맞지 <u>않는</u> 것을 고르십시오. (각 3점)**

請仔細閱讀下文並選出<u>不</u>正確的選項。(各3分)

40.

농구 동아리 회원 모집

➲ 요　일 : 매주 수요일

➲ 시　간 : 오후 4 : 00 ~ 6 : 00

➲ 장　소 : 학교 체육관 지하 1층

➲ 연락처 : 이영미 (0987-654-321)

※ 매주 동아리 활동이 끝난 후 회식이 있습니다.

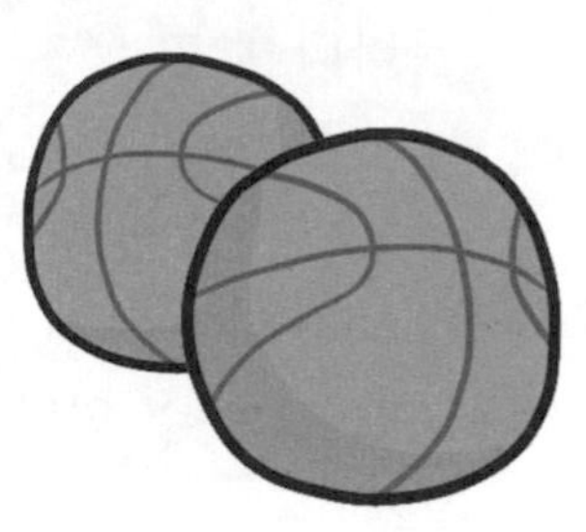

籃球社社員招募

➲ 星　期：每週星期三

➲ 時　間：下午4：00～6：00

➲ 地點：學校體育館地下1樓

➲ 聯絡方式：李英美（0987-654-321）

※ 每週社團活動結束後有聚餐。

解題 ① 모임은 일주일에 한 번 있습니다.

一週有一次聚會。 相符 → 每週三有一次社團活動。

② 오후에 두 시간 동안 농구를 합니다.

下午打籃球二小時。 相符 → 社團活動是下午4點到6點，為二小時。

③ 농구가 끝나면 회원들이 함께 식사를 합니다.

打完籃球，社員們一同用餐。 相符 → 每週活動結束後有聚餐。

❹ 농구를 잘 못하는 사람은 가입할 수 없습니다.

不太會打籃球的人不能加入。 不符 → 沒有提到。

答案 ④ 농구를 잘 못하는 사람은 가입할 수 없습니다.

不太會打籃球的人不能加入。

❗關鍵語彙： 농구 籃球　동아리 社團　회원 會員、社員
모집 招募　요일 星期　시간 時間
오후 下午　장소 場所　체육관 體育館
연락처 聯絡方式　N（時間）동안 在N（時間）當中
끝나다 結束　회식하다 聚餐
못하다 不會做～、無法做～　가입하다 加入

❗關鍵文法： A；V+(으)면 若～的話
V+(으)ㄹ 수 있다/없다 可以 / 不可以做～

41.

민수 씨,
부탁이 있어요.
제가 오늘 늦게 들어가요.
그런데 오후에 주문한 물건이 올 거예요.
그 물건 좀 받아 주세요.
-수호-.

敏秀先生，
有件事想請你幫忙。
我今天會晚回家。
但是今天下午我訂的物品會來。
請你幫我簽收那物品。
-秀浩-

解題 ① 수호 씨는 물건을 주문했습니다.
秀浩訂了物品。 相符

② 민수 씨가 수호 씨의 물건을 받아 주어야 합니다.
敏秀要幫秀浩收他訂的物品。 相符 → 秀浩請敏秀幫忙簽收。

③ 수호 씨는 오늘 일찍 집에 갈 수 없습니다.

秀浩今天不能提早回家。 相符 → 秀浩今天會晚回家。

❹ 오후에 민수 씨가 주문한 물건이 도착합니다.

敏秀訂的物品下午會到。 不符 → 是秀浩訂的物品。

答案 ④ 오후에 민수 씨가 주문한 물건이 도착합니다.

敏秀訂的物品下午會到。

❗關鍵語彙：

부탁 拜託	늦게 很晚地	들어가다 進去
그런데 可是	주문하다 訂購	물건 物品
오늘 今天	받다 收	일찍 提早
오후 下午	도착하다 到達	

❗關鍵文法： N（時間）에 在N（時間）的時候

V+아/어/여야 하다 應該要做～

V+(으)ㄴ （動詞過去式的冠形詞）

A；V+(으)ㄹ 것이다 應該會～

V+아/어/여 주세요 請幫忙

V+(으)ㄹ 수 있다/없다 可行；不可行

42.

행복 마트 안내도

4층	식당, 어린이 소극장
3층	남성 의류, 여성 의류
2층	가전제품, 완구, 스포츠 용품
1층	생활용품, 화장품, 아동복
지하 1층	식품, 고기류, 야채.과일류, 생활용품
지하2 ~ 4층	주차장

幸福大賣場說明圖

4樓	餐廳、兒童小劇場
3樓	男性服裝、女性服裝
2樓	家電、玩具、運動用品
1樓	生活用品、化妝品、童裝
地下1樓	食品、肉類、蔬果類、生活用品
地下2～4樓	停車場

解題 ① 3층에 가면 남녀 옷을 살 수 있습니다.

去3樓可以買到男女服飾。 相符 → 男女服飾都在3樓。

② 4층에서는 공연을 볼 수 있습니다.

4樓可以觀賞表演。 相符 → 4樓有兒童小劇場，可以看表演。

❸ 식사를 하려면 지하 1층에 가야 합니다.

想要用餐要到地下1樓。 不符 → 餐廳在4樓。

④ 운동에 관심이 있으면 2층으로 가면 됩니다.

若對運動有興趣，可以到2樓。 相符 →2樓有賣運動用品。

答案 ③ 식사를 하려면 지하 1층에 가야 합니다. 想要用餐要到地下1樓。

❗關鍵語彙：
마트 大型超市　식당 餐廳　어린이 兒童
소극장 小劇場　남성 男性　여성 女性
의류 服裝類　스포츠 運動體育　생활용품 生活用品
지하 地下　층 樓層　남녀 男女
관심이 있다 有興趣　식사하다 用餐　공연 表演

❗關鍵文法： V+(으)ㄹ 수 있다 可以做～
V+(으)려면 若要做～
A；V+아/어/여야 하다 應該要～
A；V+(으)면 若～的話
A；V+(으)면 되다 ～即可、～就好

※ [43~45] **다음의 내용과 같은 것을 고르십시오.** 請選出和下列短文內容一致的選項。

43. (3점) (3分)

오늘 회사에서 처음으로 월급을 받았습니다. 저는 부모님과 같이 식사를 했습니다. 그리고 월급을 모두 부모님께 드렸습니다. 부모님께서 깜짝 놀라셨습니다. 今天上班第一次領到薪水。我和父母親一起吃了飯。然後把薪水全都給了父母親。父母親都嚇了一跳。

解題 ❶ 저는 회사에서 받은 돈을 다 부모님께 드렸습니다.

我把從公司拿到的錢都給了父母親。 相符 → 我把薪水全都給了父母親。

② 부모님은 돈을 받고 안 좋아하셨습니다.

父母親拿到錢不高興。 不符 → 父母親都嚇了一跳。

③ 저는 제 용돈을 부모님께 드렸습니다.

我把我的零用錢給了父母親。 不符 → 我把薪水全都給了父母親。

④ 저는 전에도 항상 월급을 받았습니다.

我以前也常常領薪水。 不符 → 今天第一次領到薪水。

答案 ① 저는 회사에서 받은 돈을 다 부모님께 드렸습니다.

我把從公司拿到的錢都給了父母親。

❗關鍵語彙： 오늘 今天　회사 公司　처음 第一次
월급을 받다 領薪水　부모님 父母親　모두 全都
식사하다 吃飯　드리다 給（「주다」的敬語）
깜짝 놀라다 嚇一跳

❗關鍵文法： N와/과 和N　N께（「에게 / 한테」的敬語）
N께서（「이 / 가」的敬語）　A；V+(으)시（敬語接尾詞）

44. (2점) (2分)

지난 주말에 친구 결혼식에 갔습니다. 결혼식장에서 오랫동안 못 만난 친구들과 반갑게 인사했습니다. 함께 사진도 많이 찍고 서로 연락처도 받았습니다. 上週末參加了朋友的婚禮。在婚禮會場和很久沒見面的朋友們高興地打了招呼。我們還一起拍了很多照片，也拿到了彼此的連絡方式。

解題 ① 자주 만나는 친구들과 같이 결혼식장에 갔습니다.

和常見面的朋友們一起去了婚禮。 不符 → 沒特別提到和誰一起去了婚禮。

❷ 친구들과 서로 연락처를 이야기해 주었습니다.

和朋友們互相説了連絡方式。 相符

③ 오랜만에 친구들을 만나서 할 말이 없었습니다.

因為好久沒見到朋友，所以沒有什麼話説。 不符 → 我們還一起拍了很多照片，也拿到了彼此的連絡方式。

④ 친구들과 인사만 하고 헤어졌습니다.

和朋友們只打了招呼就分開了。 不符 → 我們互相打招呼、拍照，且拿到了彼此的連絡方式。

答案 ② 친구들과 서로 연락처를 이야기해 주었습니다.

和朋友們互相説了連絡方式。

❗關鍵語彙： 지난 上次　주말 週末　결혼식 婚禮
결혼식장 婚禮會場　오랫동안 很久　인사하다 打招呼
함께 一同、一起　만나다 見面　반갑다 高興
사진을 찍다 拍照　연락처 連絡方式　서로 互相
받다 收受

❗關鍵文法： N（場所）에 가다 去N（場所）　N（時間）에 在N（時間）的時候
N（場所）에서 在N（場所）　못＋V 不能做～
A；V＋고 ～還有～

45.（3점）（3分）

저는 혼자 삽니다. 그래서 가끔 직접 음식을 만듭니다. 처음에는 너무 못했지만 지금은 잘하게 되었습니다. 친구들도 제가 만든 음식을 맛있게 먹습니다.

我一個人住。所以偶爾會親自下廚。一開始做得很糟糕，但現在變得很拿手了。朋友們吃我做的料理也吃得很開心。

解題 ① 저는 이제 매일 요리를 하게 되었습니다.

我現在每天都做飯。 不符 → 我偶爾下廚。

② 저는 친구들과 같이 삽니다.

我和朋友們一起住。 不符 → 我一個人住。

❸ 처음 요리했을 때 맛이 없었습니다.

一開始做飯的時候不好吃。 相符 → 一開始做得很糟糕。

④ 요즘은 친구가 음식을 만들어 줍니다.

最近朋友會做飯給我吃。 不符 → 是朋友們吃我做的料理吃得很開心。

答案 ③ 처음 요리했을 때 맛이 없었습니다. 一開始做飯的時候不好吃。

❗關鍵語彙： 혼자 獨自一個人
살다 居住、生活
그래서 所以
가끔 偶爾
직접 親自
너무 太
음식을 만들다 做飯、下廚
처음에 一開始
지금 現在、如今
맛있게 먹다 吃得很開心
못하다 不會 ↔ 잘하다 很會、拿手

❗關鍵文法： 못+V 不能做～
A；V+지만 雖然～
V+게 되다 讓～開始做～
A+게+V （動詞）做得～（形容詞）

※ [46~48] **다음을 읽고 중심 생각을 고르십시오.** 請閱讀下列短文並選出文章的主旨。

46. (3점) (3分)

저는 자주 집 근처 공원에 갑니다. 어떤 사람들은 공원에서 산책을 합니다. 또 어떤 사람들은 의자에 앉아서 책을 읽거나 쉽니다. 쉴 수 있는 분위기가 정말 마음에 듭니다.

我常去家附近的公園。有些人在公園散步。又有些人在椅子上坐著看書或休息。我很喜歡可以休息的氣氛。

① 바빠서 공원에 가서 쉬고 싶습니다. 很忙碌，因此想去公園休息。

② 저는 공원에서 자주 책을 읽습니다. 我常在公園看書。

③ 저는 공원에서 산책을 합니다. 我在公園散步。

❹ 저는 공원을 좋아합니다. 我喜歡公園。

解題 短文說明公園的各種光景，然後說喜歡公園很休閒可以休息的氣氛。因此可以知道主旨是「我喜歡公園」。

答案 ④ 저는 공원을 좋아합니다. 我喜歡公園。

❗關鍵語彙：자주 常常　공원 公園　어떤 有的～
산책하다 散步　쉬다 休息　책을 읽다 看書
분위기 氣氛　의자에 앉다 坐椅子
마음에 들다 喜歡、滿意

❗關鍵文法：N（場所）에 가다 去N（場所）　V+아/어/여서 做～接著～
A；V+거나～ ～或者　V+(으)ㄹ 수 있다 可以做～

47. (3점) (3分)

> 제 취미는 책을 읽는 것입니다. 그렇지만 집 근처에는 도서관이 없습니다. 책을 사고 싶지만 가끔 돈이 부족합니다. 책을 빌려 읽을 수 있었으면 좋겠습니다.
>
> 我的興趣是看書。但是家附近沒有圖書館。想要買書，但偶爾錢不夠。若能借書來看就好了。

① 저는 책을 사는 것을 좋아합니다. 我喜歡買書。
② 책을 빌릴 수 없어서 아쉽습니다. 不能借書，所以很可惜。
❸ 집 근처에 도서관이 있었으면 좋겠습니다. 家附近若有圖書館就就好了。
④ 돈이 부족해서 불편합니다. 錢不夠，所以不方便。

解題 短文說家附近沒有圖書館，因此無法借書。短文內容希望家附近有圖書館可以借書。

答案 ③ 집 근처에 도서관이 있었으면 좋겠습니다. 家附近若有圖書館就就好了。

❗關鍵語彙：취미 興趣　책을 읽다 看書　근처 附近
도서관 圖書館　사다 買　가끔 偶爾
돈 錢　부족하다 不夠　빌려 읽다 借閱
불편하다 不方便

❗關鍵文法：V+는 것 做～的事情　A；V+지만 雖然～
V+(으)ㄹ 수 있다 可以做～　A；V+아/어/여서 因為～
A；V+았/었/였으면 좋겠다 若能～就好了

48. (2점) (2分)

저에게는 좋지 않은 습관이 하나 있습니다. 영화를 볼 때 자주 휴대전화를 끄지 않는 것입니다. 오늘도 영화를 볼 때 전화가 와서 소리가 났습니다. 다른 사람들에게 미안하고 창피했습니다. 다음부터는 잊어버리지 말아야겠습니다.

我有一個不好的習慣。就是在看電影的時候不關手機。今天也在看電影的時候，因為有電話打來所以發出了聲音。對別人感到抱歉也很丟臉。從下次開始不要忘記關機才行。

① 영화 중간에 전화 소리가 나서 창피했습니다.
電影中間發出電話聲，所以覺得丟臉。

❷ 영화를 보러 가면 휴대전화를 꼭 꺼야겠습니다.
去看電影的話手機一定要關機才行。

③ 영화를 볼 때 전화가 와서 놀랐습니다.
看電影的時候電話打來，所以嚇了一跳。

④ 안 좋은 습관 때문에 걱정됩니다.
因為不好的習慣而擔心。

解題 短文最後説從下次開始不要忘記關機才行。由此可以知道短文的主旨就是「去看電影的話手機一定要關機」。

答案 ② 영화를 보러 가면 휴대전화를 꼭 꺼야겠습니다.
去看電影的話手機一定要關機才行。

關鍵語彙：
- 습관 習慣
- 영화를 보다 看電影
- 휴대전화 手機
- 끄다 關
- 전화가 오다 電話打來
- 소리가 나다 發出聲音
- 미안하다 對不起
- 창피하다 丟臉
- 다른 사람 別人
- 다음부터 從下次開始
- 잊어버리다 忘記

關鍵文法：
- A；V+(으)ㄹ 때 在～時候
- A；V+지 않다 不～
- A；V+지 말다 不要～
- A；V+고 ～還有

第三回 模擬試題 解答表 完全解析

※ [49~50] **다음을 읽고 물음에 답하십시오. (각 2점)** 請閱讀以下短文並回答問題。（各2分）

우리 동네에는 특별한 가게가 있습니다. 이 가게에서 파는 물건들은 사람들에게서 무료로 받은 것입니다. 사람들은 쓰지 않는 물건을 이 가게에 줍니다. 가게에서는 물건들을 깨끗하게 정리한 후 싼값에 팝니다. 그리고 물건을 판 돈으로 다른 사람들을 도와 줍니다. 값도 싸고 다른 사람들도 (㉠ 도와줄 수 있기 때문에) 즐거운 마음으로 쇼핑하게 됩니다. 또 옷, 책, 신발 등 다양한 물건을 싸게 살 수 있으니까 좋습니다. 我們社區有一家特別的店。這家店賣的東西都是從人們那邊免費得到的。人們把不再使用的東西給這家店。店裡將東西乾淨地整理後，以便宜的價格賣出。然後用賣東西的錢幫助別人。價格便宜，也（㉠ 因為可以幫助）別人，因此能讓人愉快購物。此外，因為可以便宜買到衣服、書籍、鞋子等各種東西，覺得很不錯。

49. ㉠에 들어갈 알맞은 말을 고르십시오. 請選出適合填入㉠ 的話。

① 도와주는 편이지만 算是幫助，但是　❷ 도와줄 수 있기 때문에 因為可以幫助
③ 도와줄 수 있고 可以幫助，而且　④ 도와줄 수 있는데 可以幫助，可是

解題 從句子內容上，要說「因為可以幫助別人，所以能讓人開心購物」。

答案 ② 도와줄 수 있기 때문에 因為可以幫助

50. 이 글의 내용과 같은 것을 고르십시오. 請選出和文章內容一致的選項。

解題 ① 사람들은 돈을 받고 자기 물건을 이 가게에 줍니다.
人們收錢把自己的東西給這家店。 不符 → 免費提供自己不再使用的東西。

② 이 가게에서는 새 옷이나 새 책들을 팔고 있습니다.
這家店有賣新的衣服或新的書籍。 不符 → 店裡賣人們不再使用的東西，都是舊的物品。

❸ 이 가게는 다른 사람을 돕기 위해 물건 판 돈을 사용합니다.
這家店為了要幫助別人使用賣東西的錢。 相符 → 用賣東西的錢幫助別人。

④ 이 가게에서 파는 물건은 세 종류밖에 없습니다.
這家店只賣三種東西。 不符 → 店裡賣衣服、鞋子、書籍等各式各樣的東西。

答案 ③ 이 가게는 다른 사람을 돕기 위해 물건 판 돈을 사용합니다.
這家店為了要幫助別人使用賣東西的錢。

❶ **關鍵語彙：** 동네 社區　특별하다 特別　가게 店家
물건 東西　팔다 販賣　무료 免費
받다 收受　쓰다 使用　주다 給
정리하다 整理　싼값 便宜價格　도와주다 給予幫助
즐겁다 愉快　쇼핑하다 購物　옷 衣服
책 書籍　신발 鞋子　다양하다 多樣
싸게 사다 便宜買　돈을 받다 收錢　새 新的
사용하다 使用　종류 種類

❶ **關鍵文法：** N(이)나 N或者　V+고 있다 正在做～
V+기 위해 為了做～　N밖에 只有N+否定
V+(으)ㄴ 후 做～後　A；V+기 때문에 因為～
N(으)로 用N　V+게 되다 （動詞）變得～
V+(으)ㄹ 수 있다 可以做～　A；V+(으)니까 因為～

※ [51~52] **다음을 읽고 물음에 답하십시오.** 請閱讀以下短文並回答問題。

요즘 많은 사람들이 건강을 중요하게 생각합니다. 건강에 좋은 음식을 소개하는 텔레비전 프로그램과 인터넷 사이트들이 인기가 (㉠ 높아지고 있습니다.) 건강을 유지하기 위해서 건강식품이나 약을 먹기도 합니다. 하지만 사실 운동을 하는 것이 식품이나 약보다 훨씬 효과가 있습니다. 간단한 체조를 하거나 달리기를 해도 도움이 됩니다. 매일 시간을 내서 규칙적으로 하는 것이 좋습니다.

最近很多人重視健康。介紹有益健康食物的電視節目和網站人氣（㉠ 愈來愈高。）為了維持健康，也會吃健康食品或藥。但其實運動比食品或藥物更有效。即使做簡單的體操或跑步，也對健康有幫助。最好每天找時間規律做（運動）。

51. ㉠에 들어갈 알맞은 말을 고르십시오. (3점) 請選出適合填入㉠ 的話。（3分）

① 높아졌기 때문입니다. 因為提高了。

② 높아졌으면 좋겠습니다. 若能提高就好了。

❸ 높아지고 있습니다. 愈來愈高。

④ 높아지고 싶습니다. 想提高。

解題 短文介紹人們對健康有興趣，且說明相關節目越來越受歡迎。要知道情況變化的用法「아/어/여지다」（變得～）和「～고 있다」（正在做～）。

答案 ③ 높아지고 있습니다. 愈來愈提高。

52. 무엇에 대한 이야기인지 맞는 것을 고르십시오. (2점)

是關於什麼的敘述，請選出適合的選項。（2分）

① 건강이 중요한 이유 健康重要的理由

❷ 건강을 유지하는 방법 維持健康的方法

③ 규칙적인 생활 습관 規律的生活習慣

④ 달리기의 중요성 跑步的重要性

解題 短文說明要如何維持健康。有吃健康食品或藥物的方法，但規律運動更有效。

答案 ② 건강을 유지하는 방법 維持健康的方法

關鍵語彙：

요즘 最近

건강 健康

중요하게 생각하다 重視

건강에 좋다 對健康有益

소개하다 介紹

음식 飲食

텔레비전 프로그램 電視節目

인터넷 사이트 網站

인기가 높다 人氣高

유지하다 維持

건강식품 健康食品

약 藥

운동하다 運動

효과가 있다 有效

훨씬 更加

간단하다 簡單

체조하다 體操

달리기 跑步

도움이 되다 有幫助

시간을 내다 抽時間

규칙적으로 規則地、規律地

關鍵文法：

A+아/어/여지다 （形容詞）變得～

V+고 있다 正在做～

V+기 위해서 為了做～

A；V+기도 하다 也會～

V+는 것 做～的

N보다 比起N

A；V+거나 ～或者

V+는 것이 좋다 做～比較好

※ [53~54] **다음을 읽고 물음에 답하십시오.** 請閱讀以下短文並回答問題。

제가 일기를 쓰기 시작한 지 1년이 되었습니다. 하루 동안에 생긴 일들을 매일 다시 한 번 생각하고 정리합니다. 일기를 쓰면 여러 가지 좋은 점이 있습니다. 먼저 마음이 편안해지고 머리가 맑아집니다. 그리고 잘한 일과 잘못한 일을 알 수 있게 됩니다. 옛날에 쓴 일기를 읽으면 그 때의 일과 느낌이 다시 생각납니다. 그래서 꼭 옛날 사진을 (㉠ 보는 것 같습니다).

我開始寫日記有1年了。每天將一天內發生的事再次思考和整理。寫日記有很多好處。首先，心情能緩和下來且頭腦變清醒。還有可以知道做的好和做不好的事。若讀以前寫的日記，會重新想起當時的事情及感受。所以就很（㉠ 像在看）以前的照片。

53. ㉠에 들어갈 알맞은 말을 고르십시오. (2점) 請選出適合填入㉠ 的話。（2分）

❶ 보는 것 같습니다 像在看

② 찍었습니다 拍了照

③ 찍을 겁니다 要拍照

④ 볼 수 있습니다 可以看

解題 從句子的前後文來看，應為「讀以前的日記就很像在看以前的照片」。

答案 ① 보는 것 같습니다 像在看

54. 이 글의 내용과 같은 것을 고르십시오. (3점) 請選出和文章內容一致的選項。（3分）

解題 ① 매일 옛날에 쓴 일기를 읽으면 머리가 맑아집니다.

若每天讀以前寫過的日記，頭腦會變清醒。 不符 → 是寫日記使頭腦變清醒。

❷ 저는 지난 1년 동안 계속 일기를 썼습니다.

我過去1年持續寫了日記。 相符 → 寫日記已經有1年了。

③ 일기를 쓰면 잘못한 일이 생각나서 기분이 좋지 않습니다.

寫日記的話會想起做不好的事，因此心情不好。 不符 → 寫日記，心情能緩和下來且頭腦變清醒。

④ 저는 옛날 사진을 자주 봅니다.

我經常看以前的照片。 不符 → 是看以前的日記，就很像在看以前的照片一樣。

答案 ② 저는 지난 1년 동안 계속 일기를 썼습니다.

我過去1年持續寫了日記。

❗關鍵語彙：

일기를 쓰다 寫日記
하루 一天
하루 동안 一天內
생기다 發生
일 事情
매일 每天
생각하다 思考
정리하다 整理
여러 가지 多種
좋은 점 好處
편안해지다 緩和下來
머리가 맑아지다 頭腦變清醒
잘한 일 做對的事
잘못한 일 做不好的事
알다 知道
느낌 感受
생각나다 想起來
옛날 過去
사진 照片

❗關鍵文法：

V+기 시작하다 開始做～
V+(으)ㄴ 지～되다 做～（動作）過～（多久）的時間
N（時間）동안 在N（時間）內
A；V+(으)면 若～的話
A+아/어/여지다 （形容詞）變得～
V+게 되다 （動詞）變得～
A；V+(으)ㄴ/는 것 같다 好像～
V+(으)ㄹ 수 있다 可以做～
A；V+아/어/여서 因為～

※ [55~56] **다음을 읽고 물음에 답하십시오.** 請閱讀以下短文並回答問題。

> 여름에는 태풍이 자주 생기는 편입니다. 비가 오는 태풍이 많기는 하지만 바람이 세게 부는 때도 있습니다. 강한 바람이 불 때 사람들은 창문을 꼭 닫습니다. (㉠ 하지만) 창문을 다 닫으면 바람이 직접 부딪혀서 창문이 깨지기 쉽습니다. 그 대신 창문을 조금 열어 놓으면 바람이 통하게 되니까 깨지지 않습니다. 또 다른 방법은 창문 전체에 젖은 신문지를 붙이는 것입니다. 그러면 바람 때문에 유리가 깨져도 젖은 신문지가 유리 조각들이 여기저기 날아가는 것을 막아줍니다.
>
> 夏天算是常常會產生颱風。下雨的颱風雖多，但也有颳大風的時候。強風吹襲的時候，人們會把窗戶關緊。（㉠ 可是）若把窗戶全都關緊，風會直接撞擊，因此窗戶容易破碎。若取而代之把窗戶開一點點，因為通風，就不會破碎。另一個方法是，把濕濕的報紙貼在整個窗戶上。如此一來，即使因為颳風玻璃破掉，濕濕的報紙能防止玻璃碎片到處飛散。

55. ㉠에 들어갈 알맞은 말을 고르십시오. (2점) 請選擇適合填入㉠ 的話。（2分）

① 그리고 而且　　② 왜냐하면 因為　　❸ 하지만 可是　　④ 그래서 因此

解題 這一題要知道哪個連接副詞能正確連接前後句子。文中說明，人們習慣關緊，但是這麼做，窗戶更容易破碎。所以依據前後文，要加「하지만」（可是）。

答案 ③ 하지만 可是

56. 이 글의 내용과 같은 것을 고르십시오. (3점) 請選出和文章內容一致的選項。（3分）

解題 ① 태풍이 오면 항상 바람이 강하게 붑니다.

颱風一來，風常常颳得很強。 不符 → 颱風一來，大部分會下雨。

② 태풍이 올 때는 창문을 꼭 닫아야 합니다.

颱風來的時候，要把窗戶關緊。 不符 → 窗戶關緊更容易破碎，更危險。

③ 젖은 신문지를 창문에 붙이면 깨지지 않습니다.

將濕濕的報紙貼在窗戶上窗戶就不會破碎。 不符 → 還是有可能破碎，但即使破碎，濕報紙會防止碎片到處飛散。

❹ 바람이 많이 불어도 창문을 다 닫지 않는 것이 좋습니다.

即使風颳得很強，還是不要把窗戶關緊比較好。 相符

答案 ④ 바람이 많이 불어도 창문을 다 닫지 않는 것이 좋습니다.

即使風颳得很強，還是不要把窗戶關緊比較好。

❶關鍵語彙：

여름 夏天	태풍 颱風	생기다 產生
비가 오다 下雨	바람이 불다 颳風	세다 強
강하다 強大	꼭 緊緊地	다 都
직접 直接	부딪히다 撞擊	깨지다 打破
바람이 통하다 通風	방법 方法	전체 全體
젖다 濕	신문지 報紙	붙이다 貼
유리 조각 玻璃碎片	여기저기 到處	막다 阻止、阻擋
날아가다 飛走	창문을 닫다 關窗戶 ↔ 창문을 열다 開窗戶	

❶關鍵文法：

A；V+(으)ㄴ/는 편이다 偏向於～	A；V+기는 하다 的確是～
A；V+지만 雖然～	A；V+(으)ㄹ 때 ～時候
A；V+아/어/여서 因為～	A；V+(으)니까 因為～
A；V+지 않다 不～	V+는 것 做～的
N 때문에 因為N	A；V+아/어/여도 即使～
A；V+(으)ㄴ/는 때도 있다 有時候會～	
N대신～ 以～取代N	

※ [57~58] **다음을 순서대로 맞게 나열한 것을 고르십시오.** 請選出排列順序正確的選項。

57. (3점) (3分)

(가) 그래서 요리를 직접 만들면서 소개하는 프로그램을 보는 사람이 많아지고 있습니다.
因此觀賞親自邊做料裡邊介紹菜的節目的人正在增加中。

(나) 옛날에는 요리 프로그램이 인기가 없었습니다.
過去料理節目不受歡迎。

(다) 그런데 요즘은 값도 싸고 쉽게 구할 수 있는 재료들을 사용해서 만듭니다.
可是最近使用便宜又容易找得到的食材做料理。

(라) 주부들이 들어본 적이 없는 재료들이 너무 많았기 때문입니다.
因為主婦們沒聽過的食材太多了。

① (라)-(가)-(나)-(다)　② (나)-(가)-(다)-(라)
③ (라)-(나)-(가)-(다)　❹ (나)-(라)-(다)-(가)

解題 句子比較過去及最近的料理節目，說明過去不受歡迎但最近受歡迎的原因。此外，「그래서」（所以）通常放在「그런데」（但是）後面，因為「그래서」常常表示事情的結果或結論。

答案 ④ (나)-(라)-(다)-(가)

❗關鍵語彙：

요리 料理	직접 親自	만들다 做
소개하다 介紹	프로그램 節目	많아지다 變多
요리 프로그램 料理節目	인기가 없다 不受歡迎	값이 싸다 價錢便宜
요즘 最近	쉽다 容易	구하다 尋找
재료 材料	사용하다 使用	주부 主婦
들어보다 聽、聽過		

❗關鍵文法：
V+(으)면서 一邊做～一邊做～
A+아/어/여지다 （形容詞）變得～
V+고 있다 正在做～
V+아/어/여서 做～接著
V+아/어/여 보다 試著做～
A；V+기 때문이다 因為～
V+(으)ㄴ 적이 있다/없다 過去有 / 沒有做過～

58. (2점)（2分）

(가) 강아지가 너무 귀여워서 하루 종일 보고 있고 싶었습니다.
小狗太可愛，所以曾想一整天都看著牠。
(나) 저는 개를 무서워해서 개가 있으면 절대 옆에 가지 않았습니다.
我曾經很怕狗，若有狗，絕對不會靠近牠。
(다) 지금 그 강아지는 저와 세상에서 가장 친한 친구가 되었습니다.
現在那隻小狗成為我世界上最要好的朋友。
(라) 어느 날 옆집에서 태어난 지 삼 일밖에 안 된 강아지를 주었습니다.
有一天隔壁人家送了一隻出生只有三天的小狗。

① (다)-(라)-(가)-(나) ② (라)-(나)-(다)-(가)
❸ (나)-(라)-(가)-(다) ④ (나)-(다)-(라)-(가)

解題 句子敘述過去怕狗但遇到剛出生的小狗後，對狗的想法產生了巨大變化。

答案 ③ (나)-(라)-(가)-(다)

❗關鍵語彙：

강아지 小狗	귀엽다 可愛	하루 종일 一整天
개 狗	무서워하다 害怕	절대 絕對
옆에 가다 靠近	세상 世界上	가장 最
친한 친구 要好的朋友	되다 成為	어느 날 有一天
옆집 隔壁人家	태어나다 出生	삼 일 三天

❗關鍵文法：

V+고 있다 正在做～　　V+고 싶다 想做～

A；V+지 않다 不～　　N이/가 되다 成為N

V+(으)ㄴ 지～되다 做～（動作）過～（多久）的時間

N밖에 只有N+否定

※ [59~60] **다음을 읽고 물음에 답하십시오.** 請閱讀以下短文並回答問題。

> 많은 사람들이 첫인상을 중요하게 생각합니다. (㉠ ×) 첫인상이 좋으면 쉽게 마음을 열게 되고 계속 만나고 싶어집니다. 보통은 외모로 첫인상이 결정되기 쉽습니다. (㉡ ×) 하지만 그것보다 더 중요한 것은 오랫동안 좋은 인상을 남기는 것입니다. (㉢ ×) 그리고 마음을 나눌 수 있는 친구가 되는 것입니다. (㉣ 그러면 어떻게 다른 사람에게 좋은 인상을 줄 수 있습니까?) 상대방의 말을 잘 들어주십시오. 사람들은 무엇보다도 마음으로 이야기를 들어주는 사람을 좋아하기 때문입니다.
>
> 很多人認為第一印象很重要。（㉠ ×）第一印象不錯的話，便容易敞開心房且會想繼續見面。一般來說，容易以看外表決定第一印象。（㉡ ×）但比這還要重要的是長久留下好的印象。（㉢ ×）還有成為能談心的朋友。（㉣ 那麼要如何才能帶給別人好印象呢？）請仔細傾聽對方的話。因為人們比什麼都更喜歡用真心對話的人。

59. 다음 문장이 들어갈 곳을 고르십시오. (2점) 請選出下列句子填入的地方。（2分）

> 그러면 어떻게 다른 사람에게 좋은 인상을 줄 수 있습니까?
> 那麼要如何才能帶給別人好印象呢？

① ㉠　　② ㉡　　③ ㉢　　❹ ㉣

解題 短文前半部說明第一印象的重要。中間提到成為談心的朋友比第一印象還要重要。後半部描述如何能長久留下好的印象。因此，此句應該放在後半部的開頭。

答案 ④ ㉣

60. 이 글의 내용과 같은 것을 고르십시오. (3점) 請選出和文章內容一致的選項。（3分）

解題 ① 첫인상이 좋지 않으면 다른 사람과 친해질 수 없습니다.

若第一印象不好，就無法和別人變熟。 不符 → 文中沒提到有關印象不好的人。

❷ 다른 사람의 말을 들어주는 사람이 오랫동안 좋은 인상을 남깁니다.

能傾聽別人的話的人，可以長久留下好的印象。 相符 → 要長期留下好的印象，需要仔細傾聽別人的話。

③ 오랫동안 좋은 인상을 남기려면 외모를 멋있게 해야 합니다.

想要長期留下好印象，外表要打扮帥氣。 不符 → 要仔細傾聽別人的話。

④ 첫인상은 하나도 중요하지 않습니다.

第一印象一點都不重要。 不符 → 許多人覺得第一印象很重要。

答案 ② 다른 사람의 말을 들어주는 사람이 오랫동안 좋은 인상을 남깁니다.

能傾聽別人的話的人，可以長久留下好的印象。

❗關鍵語彙：

첫인상 第一印象	중요하다 重要	쉽다 容易
마음을 열다 敞開心房	계속 繼續	외모 外表
결정되다 決定	오랫동안 長久	남기다 留下
마음을 나누다 談心	상대방 對方	들어주다 傾聽
무엇보다도 比什麼都	마음 心	좋아하다 喜歡

❗關鍵文法：

A；V+(으)면 若～的話

V+게 되다 變得～（動詞）

V+고 싶다 想做～

A+아/어/여지다 變得～（形容詞）

N(으)로 用N　　V+기 쉽다 容易做～

N보다 比起N　　V+(으)ㄹ 수 있다 可以做～

A+(으)ㄴ 것 （形容詞）～的　　V+는 것 做～的事情

A；V+기 때문이다 因為～

※ [61~62] **다음을 읽고 물음에 답하십시오. (각 2점)** 請閱讀以下短文並回答問題。（各2分）

한국 생활은 즐거운 편이지만 가끔 힘들 때도 있습니다. 하고 싶은 말이 있는데 한국어로 잘 말할 수 없을 때 스트레스를 가장 많이 받습니다. 가족들이 보고 싶을 때도 힘듭니다. 그럴 때는 고향 친구들을 만나서 함께 맛있는 음식을 먹으면서 우리 나라 말로 이야기를 합니다. 그러면 마음이 (㉠ 가벼워집니다). 또 다른 방법은 책상을 정리하는 것입니다. 깨끗하게 정리되어 있는 책상을 보면 불안한 마음이 없어지고 편안해집니다. 韓國生活算是很快樂，但偶爾也有感到辛苦的時候。有想要說的話，卻無法用韓文流利表達時，壓力最大。想念家人時也感到難受。這種時候，和家鄉朋友們見面，和他們一起吃美食，用自己國家的語言聊天。那麼，心情就會（㉠ 放輕鬆）。另一種方法是整理書桌。看到整理得乾乾淨淨的書桌，不安的心情會消失不見，心情會緩和下來。

61. ㉠에 들어갈 알맞은 말을 고르십시오. 請選出適合填入㉠ 的話。

① 즐거워야 합니다 應該要開心

❷ 가벼워집니다 放輕鬆

③ 가벼워지면 좋겠습니다 若能放輕鬆就好了

④ 무거울 것입니다 會沉重

解題 文中説明韓國生活中壓力大時，會如何紓解壓力的方法。也説明和家鄉朋友度過快樂時光時心情如何。因此，應該要説「마음이 가벼워집니다」（心情放輕鬆）。

答案 ② 가벼워집니다 放輕鬆

62. 이 글의 내용과 같은 것을 고르십시오. 請選出和文章內容一致的選項。

解題 ① 한국어로 이야기하는 것이 전혀 어렵지 않습니다.

用韓文説話一點都不難。 不符 → 即使有想要表達的話，但韓文無法流利表達時壓力最大。

② 한국 생활에서 스트레스를 자주 받아서 고향에 돌아가고 싶습니다.

韓國生活中常感受到壓力，因此想回家鄉。 不符 →文中沒有提及説想回家鄉。

❸ 책상을 정리할 때마다 마음이 편해집니다.

每次整理書桌時，心情會放輕鬆。 相符 → 看到整理乾淨的書桌，心情會緩和下來。

④ 고향 친구들을 만날 때도 한국어로 이야기합니다.

和家鄉朋友見面時還是用韓文聊天。 不符 →和家鄉朋友見面時用自己國家的語言聊天。

答案 ③ 책상을 정리할 때마다 마음이 편해집니다.

每次整理書桌時，心情會放輕鬆。

❗關鍵語彙：

한국 생활 韓國生活	즐겁다 開心
힘들다 辛苦	스트레스를 받다 感受到壓力
가족 家人	고향 家鄉
함께 一起	우리 나라 我國
이야기를 하다 聊天	방법 方法
책상 書桌	마음이 가볍다 心情輕鬆
정리하다 整理	깨끗하다 乾淨
불안하다 不安	마음 心情
편안하다 舒服、放鬆	없어지다 消失不見

❗關鍵文法：

A；V+(으)ㄴ/는 편이다 傾向於～

V+고 싶다 想做～

V+(으)면서 一邊做～一邊做～

N(으)로 用N

A+아/어/여지다 （形容詞）變得

V+아/어/여 있다 做～著（表示動作結束後，狀態的持續）

A；V+아/어/여서 因為～

V+는 것 做～的

A；V+(으)면 若～的話

A；V+(으)ㄹ 때마다 每當～的時候

전혀～지 않다 一點都不～

※ [63~64] **다음을 읽고 물음에 답하십시오.** 請閱讀以下短文並回答問題。

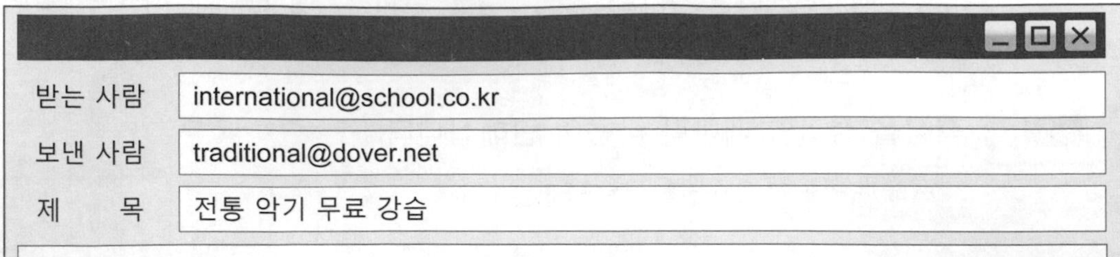

받는 사람 international@school.co.kr

보낸 사람 traditional@dover.net

제　목 전통 악기 무료 강습

외국인 유학생 여러분

한국의 전통 음악을 체험할 수 있는 기회를 드리려고 합니다. 다음 달 첫 번째 주 금요일부터 매주 한 번씩 한국의 전통 악기를 무료로 가르쳐 드립니다. 오후 1시부터 두 시간 동안 수업합니다. 음대 제2음악실로 오시면 됩니다. 관심 있는 분들의 많은 참석을 바라겠습니다. 단, 학기가 끝난 후부터 새 학기가 시작되기 전까지 두 주간 쉽니다.

한국대학교 전통음악 연구회

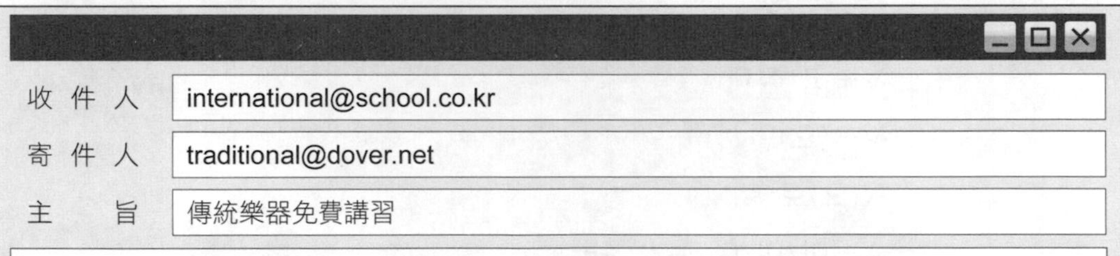

收件人 international@school.co.kr

寄件人 traditional@dover.net

主　旨 傳統樂器免費講習

各位外國人留學生

想要提供您體驗韓國傳統音樂的機會。從下個月第一週星期五起，每週一次免費教您韓國傳統樂器。上課從下午1點開始進行二個小時。來音樂學院第2音樂教室即可。有意願者請多參加。但是，學期結束後開始至新學期開始前休息兩週。

韓國大學傳統音樂研究會

63. 전통음악 연구회에서는 왜 이 글을 썼습니까? (2점)

傳統音樂研究會為什麼寫這篇文章？（2分）

① 외국인 유학생에게 기회를 주려고 想要提供機會給外國人留學生

❷ 전통 악기를 무료로 가르쳐 주려고 想要免費教授傳統樂器

③ 전통 음악회에 초대하려고 想要邀請人參加傳統音樂會

④ 연구회 모임 쉬는 기간을 알려 주려고 想要告知研究會聚會休息的期間

解題 這一題要了解這封信的發信目的，可以參考信件的主旨。

答案 ② 전통 악기를 무료로 가르쳐 주려고 想要免費教授傳統樂器

64. 이 글의 내용과 같은 것을 고르십시오. (3점) 請選出和文章內容一致的選項。（3分）

解題 ① 수업은 매주 금요일 오후 3시 반에 끝납니다.

每週五下午3點半下課。 不符 → 上課從下午1點開始上兩個小時，到3點下課。

❷ 외국인 유학생들은 돈을 내지 않아도 한국 전통 악기를 배울 수 있습니다.

外國人留學生不繳錢還是可以學習韓國傳統樂器。 相符 → 為免費教學。

③ 수업은 한 주도 쉬지 않고 계속합니다.

上課連一週都沒有休息。 不符 → 學期間休息二週。

④ 다음 주부터 금요일마다 한 번씩 수업을 합니다.

從下週開始每週五上一次課。 不符 → 上課從下個月開始。

答案 ② 외국인 유학생들은 돈을 내지 않아도 한국 전통악기를 배울 수 있습니다.

外國人留學生不繳錢還是可以學習韓國傳統樂器。

❗關鍵語彙：

외국인 外國人	유학생 留學生	무료 免費
강습 講習	전통 음악 傳統音樂	체험하다 體驗
기회 機會	드리다 給（「주다」的敬語）	
다음 달 下個月	첫 번째 第一個	금요일 星期五
매주 每週	한 번 一次	악기 樂器
가르쳐 주다 教授	오후 下午	두 시간 兩小時
수업하다 上課	음대 音樂學院	음악실 音樂教室
관심 있다 有興趣	참석 參加	바라다 期盼
학기 學期	끝나다 結束	새 학기 新學期
시작되다 開始	쉬다 休息	두 주간 兩週

❗關鍵文法： V+(으)려고 하다 打算做～
N부터 從N開始
V+아/어/여 주다 幫忙做～
N（時間）동안 N（時間）當中
A；V+(으)면 되다 ～即可
V+(으)ㄴ 후 做～之後
N까지 到N為止
V+기 전 ～之前
V+(으)려고 打算做～（目的）所以～
A；V+아/어/여도 即使～
N마다 每個N

※ [65~66] **다음을 읽고 물음에 답하십시오.** 請閱讀以下短文並回答問題。

환절기에는 기온이 갑자기 떨어지기 때문에 감기 환자가 많아집니다. 어떻게 하면 감기를 예방할 수 있습니까? (㉠ 감기에 걸리지 않으려면) 먼저 코나 입을 자꾸 손으로 만지면 안 됩니다. 또 손을 자주 씻는 것이 중요합니다. 하루에 여덟 번 이상 씻는 것이 좋습니다. 특히 밖에서 돌아온 다음에는 바로 손을 씻어야 합니다. 반드시 비누로 씻으십시오. 다음으로 옷을 따뜻하게 입어야겠습니다. 환절기에는 오전과 오후의 기온 차이가 크기 때문입니다. 또 따뜻한 물을 자주 마시는 것도 감기 예방에 도움이 됩니다.

在換季的時候，氣溫突然下降，因此感冒患者變多。怎麼做能預防感冒？（㉠ 若不想要感冒的話），首先不可以用手一直摸鼻子或嘴巴。還有，常洗手很重要。最好一天洗手八次以上。尤其是從外面回來後，就要馬上洗手。請務必要用肥皂洗。接著，衣服要穿保暖才行。因為在換季的時候，上午和下午的溫差很大。另外，常喝熱水也有助於預防感冒。

65. ㉠에 들어갈 알맞은 말을 고르십시오. (2점) 請選出適合填入㉠的話。（2分）

① 감기에 걸린 후에 得了感冒後

② 감기에 걸렸으니까 因為得了感冒

❸ 감기에 걸리지 않으려면 若不想要感冒的話

④ 감기에 걸린 적이 있으면 若曾得過感冒的話

解題 文中介紹了可以預防感冒的幾個方法。㉠的前一句說「어떻게 하면 감기를 예방할 수 있습니까?」（怎麼做能預防感冒？），由此可知下一句要說明預防感冒的方法。

答案 ③ 감기에 걸리지 않으려면 若不想要感冒的話

66. 이 글의 내용과 같은 것을 고르십시오. (3점) 請選出和文章內容一致的選項。（3分）

解題 ① 손을 씻을 때 비누를 사용하지 않아도 됩니다.
洗手時可以不使用肥皂。 不符 → 務必要用肥皂洗。

② 집에 돌아와서 조금 후에 손을 씻습니다.
回家過了一下下再洗手。 不符 → 回家要立即洗手。

③ 날씨가 춥기 때문에 따뜻한 물을 마셔도 감기에 걸리기 쉽습니다.
因為天氣冷，即使喝熱水也容易感冒。 不符 → 常喝熱水也有助於預防感冒。

❹ 오후에 갑자기 추워질 수 있으니까 따뜻한 옷을 입어야 합니다.
下午可能會突然變冷，因此要穿保暖的衣服。 相符 → 上下午溫差大，所以要穿保暖。

答案 ④ 오후에 갑자기 추워질 수 있으니까 따뜻한 옷을 입어야 합니다.
下午可能會突然變冷，因此要穿保暖的衣服。

❗關鍵語彙：

환절기 換季	기온 氣溫	갑자기 突然
떨어지다 下降	감기 感冒	환자 患者
예방하다 預防	코 鼻子	입 嘴巴
만지다 摸	손을 씻다 洗手	중요하다 重要
하루 一天	이상 以上	돌아오다 回來
바로 立即	반드시 務必要	비누 肥皂
따뜻하다 保暖、溫暖	옷을 입다 穿衣服	오전 上午
오후 下午	차이 差異	크다 大
따뜻한 물 溫水	마시다 喝	도움이 되다 有幫助
감기에 걸리다 得感冒	조금 후에 稍後	

❗關鍵文法：
A；V+기 때문에 因為～
A+아/어/여지다 （形容詞）變得～
N(이)나 N或者
V+(으)면 안 되다 不可以做～
V+는 것 做～的
V+는 것이 좋다 最好做～
V+(으)ㄴ 다음에 做～之後
A；V+아/어/여야 하다 應該要～
V+아/어/여야겠다 必須要做～才行

※ [67~68] **다음을 읽고 물음에 답하십시오. (각 3점)** 請閱讀以下短文並回答問題。（各3分）

> 저는 중고품 가게에 자주 가는 편입니다. 그 곳에는 대부분 일상생활에서 보는 물건들을 팝니다. 모두 다른 사람들이 사용한 적이 있는 것이지만 그 중에는 새 것처럼 품질이 좋은 것도 있습니다. 새 책처럼 보이는데 값이 싼 책들도 많습니다. 중고품 가게에서 제가 특히 좋아하는 것은 옛날 물건입니다. 요즘에는 구하기 어려운 옛날 사진기를 볼 수 있습니다. 또 우리가 (㉠ 본 적이 없는) 신기한 가구들도 구경할 수 있습니다. 지금은 보기 어려운 옛날 물건들을 구경하는 것이 제 취미입니다. 그런 물건들을 보면서 옛날의 생활 모습을 상상하는 것이 정말 재미있습니다.
>
> 我算常去二手物品店。那裡大部分是販賣日常生活中經常看到的物品。雖然都是別人用過的，但其中有些就像新的一樣品質不錯。也有不少看起來像新的但價格卻很便宜的書籍。我在二手物品店裡特別喜歡以前的東西。還可以看到最近很難找到的舊式相機。此外也可以看到我們（㉠ 不曾看過的）的新奇家具。看些現在很難看得到的舊東西是我的興趣。一邊看那些物品，一邊想像著以前的生活面貌真的非常有趣。

67. ㉠에 들어갈 알맞은 말을 고르십시오. 請選出適合填入㉠的話。

❶ 본 적이 없는 不曾看過的

② 자주 볼 것 같은 好像常看得到的

③ 값이 비싸 보이는 看起來貴的

④ 만든 지 오래된 做了已經很久的

解題 從「신기한 가구」「新奇的家具」可以推測出答案。也要留意「우리가」（我們）和「신기한 가구들도」之間可以接哪些話。

答案 ① 본 적이 없는 不曾看過的

68. 이 글의 내용과 같은 것을 고르십시오. 請選出和文章內容一致的選項。

解題 ① 중고품 가게에서는 자주 볼 수 없는 물건들만 팝니다.

二手物品店只販賣不能常看到的物品。 不符 → 大部分販賣日常生活中常看到的用品。

② 중고품 가게에서 파는 물건들은 모두 새 것입니다.

二手物品店賣的物品都是新的。 不符 → 都是別人用過的物品。

❸ 신기한 옛날 물건들을 보면서 그 때의 생활을 상상하면 즐겁습니다.

一邊看新奇的舊東西，一邊想像當時的生活，很開心。 相符

④ 제 취미는 신기한 옛날 물건을 모으는 것입니다.

我的興趣是收集新奇的舊東西。 不符 → 我的興趣是看些現在很難看得到的舊東西。

答案 ③ 신기한 옛날 물건들을 보면서 그 때의 생활을 상상하면 즐겁습니다.

一邊看新奇的舊東西，一邊想像當時的生活，很開心。

❗關鍵語彙：

중고품 二手物品
대부분 大部分
물건 物品
새 것 新的東西
값이 싸다 價錢便宜
구하다 尋找
신기하다 新奇
구경하다 看、逛
모습 樣貌
가게 店
일상생활 日常生活
사용하다 使用
품질 品質
옛날 以前
사진기 相機
가구 家具
취미 興趣
상상하다 想像

❗關鍵文法：

A；V+(으)ㄴ/는 편이다 偏向於～
V+(으)ㄴ 적이 있다 以前做過～
A；V+지만 雖然～
N처럼 보이다 看起來像N
V+기 어렵다 很難做～
V+(으)면서 一邊做～一邊做～

※ [69~70] **다음을 읽고 물음에 답하십시오. (각 3점)** 請閱讀以下短文並回答問題。（各3分）

> 겨울이 지나고 따뜻한 봄이 되면 사람들이 밖에 나가고 싶어합니다. 겨울에는 날씨가 맑아도 춥기 때문에 보통 나가지 않습니다. 하지만 봄은 겨울과 다르게 밖에서 활동하기 좋은 계절입니다. 그래서 꽃구경을 가거나 공원에서 산책을 하는 사람들이 많아집니다. 그런데 봄에 외출할 때는 한 가지를 조심해야 합니다. 봄의 햇빛은 가을의 햇빛보다 더 강합니다. 그래서 봄날 햇빛 아래에서 돌아다니면 얼굴이 쉽게 탑니다. 그리고 피부도 (㉠ 상하기 쉽습니다).
>
> 冬天過去，到溫暖的春天，人們就會想出去外面。冬天就算天氣晴朗還是很冷，因此通常不會出去。但春天和冬天不同，是適合活動的季節。因此，去賞花或在公園散步的人會變多。但春天外出時，需要注意一件事。春天的陽光比秋天的陽光強。所以，在春天的陽光下到處逛的話，臉容易曬黑。而且皮膚也（㉠ 容易受傷）。

69. ㉠에 들어갈 알맞은 말을 고르십시오. 請選出適合填入㉠ 的話。

① 관리하면 됩니다 管理就好

② 좋아집니다 會變好

③ 지울 수 있습니다 可以除去

❹ 상하기 쉽습니다 容易受傷

解題 文中說春天的陽光比秋天的強，所以要注意。由此可以知道㉠應該要放「皮膚也容易受傷」的話。

答案 ④ 상하기 쉽습니다 容易受傷

70. 이 글의 내용으로 알 수 있는 것은 무엇입니까? 從這短文的內容可以了解什麼？

解題 ① 겨울에 춥지만 밖에서 활동하는 사람들이 많습니다.

冬天雖冷，但在外面活動的人很多。 不符 → 因為冬天寒冷，到外面活動的人較少。

❷ 봄에 밖에서 활동할 때는 햇빛을 조심하는 게 좋겠습니다.

春天在外面活動，注意陽光比較好。 相符 → 要注意春天的陽光。

③ 사람들은 계절에 상관없이 외출하는 것을 좋아합니다.

人們不管是什麼季節都喜歡外出。 不符 → 冬天比較少出去，春天喜歡在外面活動。

④ 봄의 햇빛이 강하기 때문에 사람들이 자주 밖에 나가지 않습니다.

春天的陽光強，所以人們不常出去外面。 不符 → 春天人們喜歡在外面活動。

答案 ② 봄에 밖에서 활동할 때는 햇빛을 조심하는 게 좋겠습니다.

春天在外面活動，注意陽光比較好。

關鍵語彙：

겨울 冬天	지나다 經過
따뜻하다 溫暖	봄 春天
밖에 나가다 出去外面	날씨가 맑다 天氣晴朗
춥다 寒冷	활동하다 活動
계절 季節	꽃구경 賞花
산책하다 散步	외출하다 外出
조심하다 注意	햇빛 陽光
강하다 強大	가을 秋天
돌아다니다 到處逛	얼굴이 타다 臉曬黑
피부가 상하다 皮膚受傷	

關鍵文法：

A；V+(으)면 若~的話	V+고 싶어하다 想做~
A；V+아/어/여도 即使~	A；V+기 때문에 因為~
V+기 좋다 很好做~	A；V+거나 ~或者
A；V+(으)ㄹ 때 在~的時候	N보다 比起N

第三回 模擬試題 解答表 完全解析

國家圖書館出版品預行編目資料

TOPIK I新韓檢初級　模擬試題＋完全解析 / 李炫周著；
--初版--臺北市；瑞蘭國際, 2016.07
272面；19 x 26公分. --（外語學習系列；26）
ISBN：978-986-5639-69-3（平裝附光碟片）
1.韓語 2.能力測驗

803.289　　105007714

外語學習系列 26

完全征服

TOPIK I
新韓檢初級
模擬試題＋完全解析

作者｜李炫周・責任編輯｜何映萱、潘治婷、王愿琦
校對｜李炫周、何映萱、潘治婷、王愿琦

韓語錄音｜李炫周、白亨烈・錄音室｜采漾錄音製作有限公司
封面、版型設計、內文排版｜余佳憓・聽力測驗美術插畫｜吳晨華

董事長｜張暖彗・社長兼總編輯｜王愿琦・主編｜葉仲芸
編輯｜潘治婷・編輯｜林家如・設計部主任｜余佳憓
業務部副理｜楊米琪・業務部組長｜林湲洵・業務部專員｜張毓庭
編輯顧問｜こんどうともこ

法律顧問｜海灣國際法律事務所　呂錦峯律師

出版社｜瑞蘭國際有限公司・地址｜台北市大安區安和路一段104號7樓之1
電話｜(02)2700-4625・傳真｜(02)2700-4622・訂購專線｜(02)2700-4625
劃撥帳號｜19914152 瑞蘭國際有限公司・瑞蘭國際網路書城｜www.genki-japan.com.tw

總經銷｜聯合發行股份有限公司・電話｜(02)2917-8022、2917-8042
傳真｜(02)2915-6275、2915-7212・印刷｜宗祐印刷有限公司
出版日期｜2016年07月初版1刷・定價｜380元・ISBN｜978-986-5639-69-3
2017年08月初版2刷